COLLECTION
LITTÉRATURE JEUNESSE
DIRIGÉE PAR ANNE-MARIE AUBIN

LES AVENTURIERS DU TIMBRE PERDU

Données de catalogage avant publication (Canada)

Rubbo, Michael
[Tommy Tricker and the stamp traveller. Français]
Les aventuriers du timbre perdu

(Collection Jeunesse romans).
Traduction de: Tommy Tricker and the stamp traveller.
Pour les jeunes.

ISBN 2-89037-427-0

I. Titre. II. Titre: Tommy Tricker and the stamp traveller. Français. III. Collection.

PS8585.U22T65 1988 jC813'.54 C88-096006-2
PS9585.U22T65 1988
PZ23.R82av 1988

Dépôt légal:
4e trimestre 1988
Bibliothèque nationale du Québec
Réimpression octobre 1990
Réimpression: juin 1992

Montage
Andréa Joseph

LES AVENTURIERS DU TIMBRE PERDU

MICHAEL RUBBO

ROMAN

Ce roman a été traduit et adapté par Viviane Julien, auteure de trois des précédents romans tirés des célèbres Contes pour tous, dont *La Grenouille et la Baleine*, et qui avait également traduit le précédent roman de Rubbo, *Opération beurre de pinottes.*

ÉDITIONS QUÉBEC/AMÉRIQUE

425, rue Saint-Jean-Baptiste,
Montréal, Québec H2Y 2Z7
(514) 393-1450

Du même auteur

Opération Beurre de Pinottes, roman,
Éditions Québec/Amérique, 1985

DANS LA MÊME COLLECTION

Contes pour tous

1 LA GUERRE DES TUQUES
Danyèle Patenaude et Roger Cantin

2 OPÉRATION BEURRE DE PINOTTES
Michael Rubbo

3 BACH ET BOTTINE
Bernadette Renaud

4 LE JEUNE MAGICIEN
Viviane Julien

5 C'EST PAS PARCE QU'ON EST PETIT QU'ON PEUT PAS ÊTRE GRAND
Viviane Julien

6 LA GRENOUILLE ET LA BALEINE
Viviane Julien

7 LES AVENTURIERS DU TIMBRE PERDU
Michael Rubbo

8 FIERRO... L'ÉTÉ DES SECRETS
Viviane Julien

9 BYE BYE CHAPERON ROUGE
Viviane Julien

10 PAS DE RÉPIT POUR MÉLANIE
Stella Goulet

11 VINCENT ET MOI
Michael Rubbo

12 LA CHAMPIONNE
Viviane Julien

13 TIRELIRE, COMBINE & CIE
Jacques A. Desjardins

Sélection «Club la Fête»

1 LE MARTIEN DE NOËL
Roch Carrier

En hommage à tous les collectionneurs
et à tous les voyageurs,
grands ou petits
ainsi qu'à tous ceux qui ont rêvé,
ou rêvent
de le devenir

Rock Demers

Chapitre 1

Le triangle rose

Même s'il était tôt, ce matin-là, la cour de l'école était déjà pleine de monde. Peut-être parce qu'il faisait beau. Les jeunes s'adonnaient à leurs activités favorites en attendant que la cloche les appelle en classe. Il y avait Rufus, par exemple, qui se donnait des airs de vedette avec ses lunettes de soleil. Assis à l'ombre d'un arbre, sur un banc de bois vert, il grattait sa guitare... Il était en train de composer un autre de ses grands succès qu'il destinait au marché américain. Douze ans à peine, et bientôt célèbre? Il chantonnait...

«I'm a runnin! I'm a runnin from you.

And you're a chasin, you're a chasin me too.
The end of the earth and the city of kingdom come.»

Peut-être bien que la chanson de Rufus était géniale, mais c'était plutôt difficile de l'entendre parce qu'un groupe de fillettes sautaient à la corde à deux pas de lui. Elles chantaient à tue tête:

«Crème à la glace, limonade sucrée...
Dites-moi le nom de votre cavalier,
A-B-C-D-E-...»

Bien peu de chance que cette chanson-là fasse le palmarès américain. Mais ça ne semblait pas du tout préoccuper la petite chinoise Moko qui passait et repassait sous la corde en sautant le plus haut possible.

Tout à coup, une voix vint distraire les filles. Cass venait d'entrer dans la cour. Il cria: — Serpents... serpents apprivoisés. Il y a plein de couleurs. Venez voir! J'ai des serpents pour tout le monde. Pas chers!

Dans sa main, Cass tenait une grouillante poignée de serpents orange et verts. — Ils sont pas chers. Prenez-en un, ils sont très gentils.

Rassemblées autour de Cass, les

filles n'avaient pas l'air de trouver que les serpents étaient si gentils que ça! D'autant plus que Cass venait de les ramasser dans une mare où ils étaient bien au frais et qu'ils n'avaient pas du tout l'air réjouis de se retrouver sur l'asphalte de la cour en plein soleil. — Est-ce qu'ils mordent? demanda une petite brunette aux yeux verts. – Seulement si tu les mords la première, dit Cass avec un large sourire.

Un peu plus vieux que les autres, treize ans environ, Cass avait l'air d'un jeune lutteur avec ses longs bras musclés et dégingandés.

L'une des fillettes venait de tendre une main hésitante vers un serpent lorsque, tout à coup, un éclair roulant s'interposa entre elle et Cass, qui poussa un cri. – Eh, Connie! Tu peux pas faire attention, espèce d'abruti?

Ce disant, Cass fit un pas vers l'arrière et trébucha dans l'herbe avec sa poignée de serpents. Inutile de dire que les petits reptiles en profitèrent pour s'échapper dans toutes les directions et zigzaguèrent au plus vite vers leur mare confortable. Cass se précipita pour en rattraper ce qu'il put.

Le responsable de la confusion sourit timidement. C'était Connie, en effet. Son casque protecteur bien calé jusqu'aux oreilles, il venait de faire son apparition dans la cour de l'école sur son inévitable planche à roulettes géante. Mais personne n'eut le temps de lui tomber sur le dos, parce qu'un autre bolide, encore plus impressionnant, arriva à son tour.

Monté sur sa bicyclette, Tommy se rua vers un groupe d'enfants. Yeux noirs, cheveux noirs, sourire effronté de celui à qui le monde appartient... en tout cas, au moins la cour de l'école... Tommy sauta prestement de sa bicyclette et la laissa tomber sur le sol avec fracas. Aussitôt, un groupe de garçons l'entourèrent en essayant à qui mieux mieux d'attirer son attention. — Eh, Tommy, viens-tu jouer au ballon? — Qu'est-ce qu'il y a de neuf, aujourd'hui, Tommy?

Mais Tommy les repoussa, impatient: — Non, non, j'ai pas le temps.

Il y avait une seule personne que Tommy voulait voir tout de suite avant que la cloche sonne. Il l'aperçut plus loin, à genoux dans l'herbe en train d'essayer de rattraper ses serpents. Il marcha vers lui d'un pas décidé. — Laisse faire tes serpents. J'ai quelque chose de mieux. Suis-moi. Ce disant, il attrapa le pauvre Cass par le bras et l'entraîna vers le mur de l'école, à l'abri des regards indiscrets. — Qu'est-ce qui se passe? demanda Cass, qui ne comprenait rien.

Tommy déposa son sac et y plongea la main sous le regard curieux de Cass, qui trépignait d'impatience.

Pendant ce temps, un autre garçon venait d'arriver. Contrairement à Tommy, il appuya doucement sa bicyclette sur la clôture, installa son cadenas et jeta un coup d'œil vers Tommy qu'il vit tout juste disparaître au coin de l'école. C'était Ralph, aussi blond que Tommy était noir. Ralph était plutôt timide et il parlait parfois avec un léger bégaiement. Il osait à peine s'avouer qu'il aurait bien aimé faire partie du groupe de Tommy. Il était presque jaloux de Cass, même s'il n'avait aucune admiration pour lui. Hélas, Tommy se moquait éperdument des aspirations de Ralph!

Justement, il venait de sortir un gros cahier noir de son sac. Il l'ouvrit et montra à Cass un admirable groupe de timbres. — Tiens, regarde-moi ça, dit-il avec fierté. — Oh, wow, Tommy, ils sont beaux vrai! s'exclama Cass. — Je viens juste de les acheter au bureau de poste. C'étaient les derniers.

Tommy s'arrêta un instant, regarda autour de lui pour s'assurer qu'aucun espion n'était en vue. Il baissa la voix: — Tu vois le petit triangle rose dans le coin?

Comme un bon élève qui s'efforce de comprendre une leçon, Cass fit un grand signe de tête. – ... Eh bien, c'est une erreur, continua Tommy.

Cass était consterné. Quel malheur que son ami ait acheté une erreur! Puis, un sourire éclaira son visage. Il attrapa Tommy par l'épaule. Il venait d'avoir une idée: – Eh, Tommy, si tu retournes tout de suite, peut-être qu'ils vont les racheter?

Tommy leva les yeux au ciel. Que son ami Cass soit un peu niais, passe toujours, mais à ce point-là! Il rétorqua, impatient: – Tu ne sais pas qu'une erreur sur un timbre, ça peut valoir une fortune?

Cass plissa le front et se gratta l'oreille gauche. Il n'arrivait jamais totalement à suivre les raisonnements de Tommy. Il s'exclama: – Une fortune, Tommy? – Oui, et ce que je veux, c'est que tu m'aides à vendre ces timbres-là aux membres du club.

Cass était de plus en plus confus. – Comment ça, les vendre? Pourquoi on les garde pas s'ils valent une fortune? – Parce que c'est un truc, stupide, soupira Tommy en jetant un coup d'œil désespéré sur le pauvre Cass. – Ah, laisse faire, viens-t'en! dit-il en entraînant Cass vers la porte de l'école au moment où sonnait la cloche.

* * *

Les élèves s'installèrent bruyamment à leurs pupitres respectifs. Pour sa part, Tommy était déjà prêt à l'attaque. Assis sur son pupitre, bien en vue de tous - c'était la place qu'il préférait - Tommy sortit ses paquets de timbres et les brandit dans les airs.

— Eh, les amis, regardez ça!

Avec son petit sourire goguenard, sa voix ferme, ses allures de chef, Tommy n'eut aucune difficulté à attirer l'attention. Les garçons et les filles de sa classe le craignaient et l'admiraient à la fois. Plusieurs l'entouraient déjà.

— Vous voyez ça? Ces timbres s'appellent «panthère rose». Ils ont dessus un petit triangle qui est une véritable erreur et le bureau de poste n'en a plus du tout. Ils vont valoir une fortune. Aujourd'hui, je vous les laisse pour seulement trois dollars!!! Mais il se peut qu'ils valent une fortune dans quelques années.

Trois dollars, on peut très bien voir ce que ça veut dire, mais une fortune? Quel mot mystérieux! Peu importe, ça devait être gros, et les mains se tendaient vers Tommy avec les trois dollars... tant pis pour le déjeuner! —

J'en veux un! – C'est quoi, une fortune? demanda Pierre. – Oh, comme ils sont beaux! s'exclama la petite Lili.

Les voix fusèrent autour de Tommy. – Moi aussi, j'en veux un! – C'est quoi ça, une fortune?

Tommy était aux anges. Il distribuait ses timbres-fortune et récoltait les trois dollars de partout. Mais soudain, quelqu'un fit irruption dans la classe et cria d'une voix autoritaire: – Arrêtez ça! Immédiatement!

Cheveux courts, petites lunettes rondes sur le nez, l'air très solennel, c'était Albert, le président officiel du club de timbres de l'école. Albert était outré. – Tommy, tu devrais avoir honte de les voler comme ça! – Pourquoi? demanda Tommy, avec un petit sourire innocent.

Mais le digne, le sérieux, l'incorruptible Albert était furieux. D'une voix ferme, il ordonna: – Premièrement, en tant que président de notre club de timbres, je te demande de remettre l'argent à tout le monde... Deuxièmement, la vente entre membres du club est interdite.

Ce disant, il joignit le geste à la parole et s'empara de quelques-uns des dollars que Tommy tenait dans sa main. Il les brandit au-dessus de sa tête. — À qui appartient cet argent? — C'est à moi, dit Mandy en quittant des yeux le timbre qu'elle était en train d'admirer.

Péremptoire, Albert lui tendit l'argent. — Tiens, prends-le! — Mais, c'est pas l'argent que je veux, c'est mon timbre, protesta Mandy. — C'est la règle numéro un du club, annonça Albert. Reprends ton argent. — C'est vrai, approuva Ralph d'un petite voix timide en lançant un coup d'œil de biais vers Tommy. Tout le monde parlait en même temps.

Soudain, l'institutrice fit son apparition. Elle s'immobilisa sur le seuil, mains sur les hanches, sourcils froncés. Personne ne l'avait entendue venir. Le chahut continuait. Tommy venait de faire une autre vente. Albert était de plus en plus furieux. Une voix de tonnerre couvrit le vacarme. — Asseyez-vous! Tout le monde à vos places. Tout de suite!

Pendant quelques secondes, ce fut le brouhaha général, mais les élèves n'avaient pas sitôt regagné leur place qu'Albert sauta sur ses pieds. — Qu'est-ce qui se passe ici? demanda l'institutrice d'une voix sévère.

Puis, voyant Albert qui levait la main, elle se tourna vers lui: — Oui, Albert... Aussitôt, il se lança dans une longue explication: — Hier matin, le service des postes a émis une nouvelle série de timbres sur le thème des grands explorateurs. — Je ne vois pas le rapport, dit-elle. Albert ne reprit même pas son souffle. — ... Un des timbres a dans le coin un petit triangle rose qui ne devrait pas être là. C'est ce qu'on appelle une variété dans le monde philatélique.

Du fond de la classe, Tommy l'interrompit. — C'est la panthère rose, dit-il d'une petite voix douce.

Albert vira brusquement sur ses talons et pointa un doigt accusateur vers Tommy. — Et lui, dit-il, il fait croire aux autres que ces timbres-là vont valoir une fortune un jour, ce qui est faux!

La jeune femme haussa les épaules. — Il faudrait peut-être vérifier qui a raison, dit-elle. Tommy était ravi. — Le bureau de poste n'en a plus, Mademoiselle. Si vous en voulez, vous devrez me les acheter à moi! — Non, c'est faux, protesta Albert, de plus en plus hors de lui. Il nous prend tous pour des imbéciles. — C'est vrai ça, murmura Ralph, timidement. — Le timbre vaut le prix marqué sur le timbre et pas un sou de plus, continua Albert.

L'institutrice commençait à être vraiment exaspérée: — Bon, ça suffit! Tommy, tu ferais mieux de rendre l'argent à tout le monde.

Ce n'était pas précisément comme ça que Tommy avait prévu l'affaire. Son sourire disparut, mais pas pour longtemps. Il avait plus d'une corde à son arc. Discrètement, il plongea la main sous le bureau de son copain Cass, tira un serpent du sac et le lança dans l'allée.

L'institutrice s'impatientait: — Qu'est-ce que tu attends, Tommy?

Mais soudain, un cri perçant: — Mademoiselle, un serpent!

Aussitôt, ce fut de nouveau la confusion générale. Tout le monde sautait sur son siège ou son pupitre, même la jeune femme qui, instinctivement, s'était assise sur le bord de son bureau, les pieds bien loin du sol. Elle tentait malgré tout de rétablir l'ordre: — Tout le monde assis! Puis, d'une voix mi-sévère mi-effrayée, elle demanda: — À qui appartient ce serpent?

Tommy était enchanté. Justement la diversion qu'il voulait. Tout le monde avait oublié les timbres. — C'est à moi, lança-t-il en se dirigeant lentement vers l'avant de la classe.

Avec un superbe sang-froid, il ramassa le serpent en le tenant au bout de son bras, bien en vue. L'air moqueur, il ajouta: — Seulement, c'est pas un serpent, c'est un lézard!

Un murmure étonné parcourut la classe.

Même Albert tomba dans le panneau. Son esprit logique protesta: — Normalement, les lézards ont des pattes.

Et c'était précisément ce que Tommy attendait pour continuer son petit numéro. Il s'exécuta avec un sourire malin: — Il en avait aussi, mais je les lui ai enlevées!

Grimaces et cris d'horreur dans la classe. Albert gardait le silence, mais il n'était pas dupe. Tommy continuait, en montrant les deux endroits où il avait enroulé du sparadrap autour du serpent: — Ici, c'était ses pattes d'en avant. Et ici, ben... ses pattes d'en arrière. Et pour un lézard, il rampe drôlement vite!

Albert ne perdit pas un seconde. Il

siffla entre ses dents: — Et ton père, j'imagine qu'il rampe drôlement vite lui aussi?

Le sourire narquois de Tommy disparut aussitôt. Son visage se durcit. Ses yeux lançaient des éclairs. Tous les enfants pouvaient lire le mélange de rage et de tristesse qui s'était peint sur le visage de Tommy. Heureusement, l'institutrice intervint: — Ça suffit comme ça. Tommy, retourne à ta place.

Personne ne connaissait vraiment l'histoire du père de Tommy et personne n'osait aborder le sujet non plus, mais les rumeurs allaient bon train. Une chose semblait certaine, tôt ou tard, Albert allait payer pour cette remarque...

* * *

Lorsque Tommy arriva à l'école le lendemain, Albert était très occupé à exercer son activité favorite. Installé sur un banc, il aidait la petite Alice à organiser sa collection de timbres. Ce n'était pas une tâche facile, parce qu'Alice ne s'intéressait qu'aux timbres avec des koalas. Et ce, malgré les protestations d'Albert qui mettait toute son énergie à la persuader de devenir une vraie collectionneuse. — Si tu veux, je peux t'aider à te monter une très belle collection avec toutes sortes d'animaux. Pas juste des koalas, mais des rhinocéros, des zèbres, des éléphants, des hippopotames. — Je le sais, pleurnicha Alice, mais j'aime juste les koalas!

Subrepticement, Tommy s'était approché derrière Albert avec son acolyte Cass. Il s'installa sur le bout du banc et s'exclama: — Oh, la belle petite collection!

Cass éclata de rire: — Eh, Tommy, elle a plein de petits oursons!

Albert faisait mine de ne pas voir Tommy. Il continuait sa leçon avec Alice. Il n'avait pas remarqué que Tommy avait tiré son sac d'écolier vers lui et qu'il y plongeait la main. Soudain, il reçut de Tommy un grand coup dans le dos qui le fit presque tomber sur Alice. Furieux, il se leva de son banc, ramassa son sac et s'éloigna le plus dignement possible, sans jeter un seul regard vers Tommy. Il murmura entre ses dents: — Je connais des gens qui devraient être enfermés!

Tommy et Cass échangèrent un clin d'œil. Ils observaient Albert qui s'éloignait à pas rapides. Mais, bientôt, une petite fumée blanche commença à s'échapper du sac. Satisfait, Tommy cria: — Eh, Albert, on dirait que t'as un problème!

Albert se retourna et, au même moment, il aperçut la légère volute de fumée qui grossissait à vue d'œil. Il déposa son sac en hurlant: — Oh non! Mes timbres, mes timbres!

Tout le beau sang-froid d'Albert s'était évaporé. Il criait, sautait sur place, il tournait autour de son sac d'où s'échappait de plus en plus de fumée. Ralph et quelques enfants

s'étaient rassemblés autour d'Albert.
— Ma collection va brûler, criait Albert, au désespoir.

Ralph était atterré. Il cherchait un moyen d'aider Albert: — Vite, il faut de l'eau!

Tommy et Cass ricanaient en regardant Albert, qui avait perdu tous ses moyens. Il hurla à son tour: — De l'eau, vite, il faut de l'eau! De l'eau!

Il se pencha, attrapa son sac et, le tenant à bout de bras, il partit à la course vers l'école, suivi de Ralph et d'une ribambelle d'enfants. Tommy riait tellement fort qu'il en avait mal au ventre. Il se tenait les côtes à deux mains.

Mais, avant même qu'Albert ait eu le temps de réagir, une superbe douche d'eau froide s'abattait sur son sac et l'éclaboussait du même coup. C'était Connie qui avait entendu l'appel de détresse et qui s'était précipité sur son énorme rouli-roulant avec un seau d'eau. Pauvre Albert, pour un peu il se mettait à pleurnicher comme Alice. — Oh non! Tous mes timbres sont ruinés!

Il était accroupi près de son malheureux sac. Il n'avait pas vu Tommy qui se tenait derrière lui et se penchait par-dessus son épaule; il tenait un album dans sa main. — Est-ce que c'est ça que tu cherches, Albert? demanda-t-il d'une voix suave en lui rendant sa précieuse collection.

Albert ouvrit la bouche. Il était tellement content de revoir son cher album qu'il en oublia que Tommy venait de lui jouer un autre de ses tours pendables.

Chapitre 2

Le tour de passe-passe

Montés sur leurs vélos, Tommy et Cass faisaient des cabrioles dans une petite rue tranquille, bordée de grands arbres. Il était évident que ce n'était pas le quartier où habitait Tommy et pourtant, il semblait savoir exactement où il allait. Cass le suivait sans poser de questions, comme toujours. Ils passaient maintenant devant un immense jardin entouré d'une haie splendide. Cass s'exclama:
— C'est un beau jardin, hein, Tommy?

Tommy marmonna: — Ouais! et tout ça pour eux tout seul.

Mais Tommy n'avait pas le temps de se laisser attendrir, car il venait d'entendre le click-click familier du rouli-roulant de Connie. Aussitôt, il poussa Cass derrière l'épais buisson. Le vélo de ce dernier s'écrasa avec fracas pendant que Tommy déposait le sien en douceur. Il mit un doigt sur sa bouche: — Chut!

Le danger était déjà passé et Cass se releva tant bien que mal. Tommy lui donna ses instructions: — Cass, tu restes caché ici jusqu'à ce que je revienne.

Cass allait de surprise en surprise. Il suivait toujours Tommy, mais il ne comprenait jamais rien. — Pourquoi rester ici, Tommy? — Parce que tu vas être très bien ici, surtout s'il se met à neiger! — Neiger en été, Tommy?

Tommy leva les yeux au ciel. Décidément, son copain n'avait pas inventé le fil à couper le beurre! Il grimpa sur son vélo et s'éloigna en vitesse.

Un peu plus loin, il s'arrêta devant une belle maison, grimpa les marches quatre à quatre et trébucha dans un pot de gros géraniums rouges qui décoraient l'escalier. — Oups, je pense que je me suis mis les pieds dans les pots, dit-il en dissimulant tant bien que mal les morceaux cassés.

Il sonna. Il était encore en train

d'examiner les dégâts du coin de l'œil lorsque la porte s'ouvrit. Une très jolie fille sortit la tête: — Oui? demanda-t-elle d'un ton légèrement agacé.

Elle avait de grands yeux bleus, des cheveux courts, très blonds, presque lumineux. Elle portait une large chemise bleu pâle, trop grande pour elle, et elle paraissait avoir douze ans, environ. Mais Tommy n'était pas certain, parce que la jeune fille était maquillée, comme pour un soir de grand bal. Il l'examina sans répondre. Sûrement, c'était la sœur de Ralph. — Oui, répéta-t-elle, vous voulez quelque chose?

Le ton sérieux amusa Tommy. Il sourit: — Est-ce que Ralph est là? — De la part de qui? demanda la fille, toujours très «grande dame». — Disons que je suis un ami...

Le charme de Tommy lui tira presque un sourire. Elle fit un pas à l'intérieur et cria: — Ralph?

Pas de réponse. D'un léger signe de tête, elle invita Tommy à entrer.

Sans une once d'hésitation, il la suivit dans une vaste pièce très moderne. Tommy était impressionné. Il promenait sa main sur les meubles, regardait les tableaux aux murs, touchait une sculpture. — C'est beau chez vous! — Touche pas, s'exclama la jeune fille.

Tommy se ressaisit aussitôt. Il prit un ton dégagé, légèrement moqueur en traçant du doigt une longue ligne dans la poussière qui recouvrait une belle table de verre. — Ouf, super belle table!

La fille haussa les épaules et répondit froidement: — On est en pleine rénovation. Suis-moi!

Elle s'engagea dans l'escalier qui menait à l'étage. Il n'y avait pas de rampe. Tommy glissait la main sur une rampe imaginaire. — Belle rampe, dit-il.

La jeune fille ne trouvait pas ça drôle du tout. Il avança la main vers un tableau. Elle se retourna brusquement. — J'ai dit, touche pas! — Superbe encadrement, dit Tommy, moqueur.

Elle fit mine de ne pas l'entendre.

De nouveau, elle appela: — Ralph?

Ils étaient maintenant devant une porte de chambre, grande ouverte. Tommy avança la tête et prononça sentencieusement: — Très jolie chambre. Qui vit dans ce désordre-là?

La jeune fille s'élança aussitôt dans la chambre où son amie Anne était installée par terre, au milieu d'un tas de coussins. Elle protesta malgré elle, tout en replaçant quelques objets: — C'est ma chambre et c'est pas si en désordre que ça. Et d'ailleurs, comment vous appelez-vous, Monsieur? On peut savoir?

Tommy prit une pose à la James Bond. — Je m'appelle Farceur, Tommy Farceur. — Ce n'est pas un nom ça! C'est ridicule! — Et vous, Madame? — Nancy, répondit-elle en faisant une mini révérence.

Tommy fit un de ses sourires irrésistibles: — T'as jamais entendu parler de moi? Je suis pourtant célèbre!

Il était presque offusqué. — Non, Monsieur, je regrette. Et vous êtes connu pour quel genre de mauvaise farce, s'il vous plaît?

Tommy ne répondit pas. Son attention venait d'être attirée par un tas de cartes postales qui étaient éparpillées sur le lit. — Qu'est-ce que vous faites avec toutes ces cartes postales? Ça vient d'où, tout ça?

Il en prit une et s'exclama: — Mais, c'est du chinois, ça? — Oui, Monsieur l'expert. On ne peut rien vous cacher, dit Nancy d'un ton sarcastique.

Décidément, Tommy commençait à trouver la petite blonde plutôt intéressante. Mais à ce moment précis, un visage étonné apparut dans l'embrasure de la porte. — Tommy, qu'est-ce que tu fais ici? bégaya Ralph. — Salut, Ralph, dit Tommy sur un ton un peu plus enthousiaste que nécessaire.

Aussitôt, il sauta du lit et entoura Ralph de son bras en l'entraînant hors de la chambre. Personne n'avait vu que Tommy avait dissimulé la carte postale chinoise sous sa chemise.

Ralph était à la fois ravi et effrayé par l'apparition de Tommy. Sans trop se l'avouer, il avait toujours été impressionné par Tommy, mais il n'avait jamais osé l'approcher. Le Farceur sortit une enveloppe de timbres de sa poche. — Regarde, Ralph. J'ai une bonne affaire à te proposer.

Ralph était horrifié. Il protesta: — Mais, Tommy, j'ai pas le droit d'échanger des timbres avec toi, Albert l'a défendu!

En effet, après l'affaire du timbre au triangle rose, Albert avait formellement défendu à tous les membres du club de faire des affaires avec Tommy, sous peine d'expulsion. Ralph aurait bien voulu être l'ami de Tommy, mais quand même, pas au point d'être exclu du club de timbres. Tommy le rassura:

— C'est pour ça que je suis venu ici. Albert n'en saura jamais rien.

Mécaniquement, sans trop s'en rendre compte, Ralph avait conduit Tommy dans le bureau de son père. C'était là que se trouvaient ses albums de timbres. Mais sa collection à lui n'était rien à côté de celle de son père. C'était de lui, d'ailleurs, qu'il tenait sa passion pour les timbres. Bien sûr, Ralph n'avait pas le droit de toucher et encore moins d'échanger les timbres de son père.

Comme il l'avait fait dans le salon, Tommy examina la pièce. Il touchait à tout, prenait les objets dans ses mains, les manipulait, les retournait. Ralph commençait à être inquiet. — Tu veux que je te montre mes albums?

Mais Tommy faisait celui qui n'est pas du tout intéressé.

Nonchalant, il continuait à se promener dans la pièce. Soudain, l'air de rien, il sortit une enveloppe de sa poche et s'installa à la table de travail du père de Ralph. Il alluma une lampe et posa son jeu de timbres devant le verre grossissant. Ralph avait tout de suite reconnu les timbres. C'était un jeu complet des timbres de la Paix. Une merveille pour sa collection! — Un jeu de la Paix, s'exclama Ralph, ébahi. Où est-ce que t'as déniché ça?

Tommy répondit, un petit sourire en coin. — Si tu poses pas de questions, je te dirai pas de mensonges... Ils sont à toi, Ralph.

Malgré sa crainte d'Albert, Ralph ne pouvait pas résister. Il s'empressa de sortir ses albums. — OK! J'ai mes astronautes et j'ai mes timbres d'animaux et mes timbres australiens...

Tommy feuilleta les albums sous le regard anxieux de Ralph qui trépignait. — Tu le diras pas à Albert? — Ah, oublie Albert. C'est un jaloux.

Mais à chaque page qu'il tournait, Tommy faisait signe que non. Il n'était pas intéressé. Ralph avait le cœur battant. — C'est tout ce que tu as? demanda Tommy en jetant un regard circulaire sur la pièce.

Ralph était désespéré. Il fit signe que oui. Soudain, Tommy pointa le doigt vers un gros album rouge sur un rayon de la bibliothèque. — C'est quoi le gros livre rouge du Canada? demanda Tommy en se dirigeant aussitôt vers l'objet convoité.

Ralph lui bloqua le chemin en protestant. — Ah non, ça, c'est sacré, c'est à mon père. Je ne peux pas y toucher.

Tommy haussa les épaules. — Oh, niaise pas, Ralph, je veux juste jeter un coup d'œil.

Ralph était formel. — Je ne peux pas. Là-dessus, mon père est très strict.

Tommy recula aussitôt et se dirigea vers la porte. — Bon, parfait. Si tu ne me fais pas confiance, tu peux oublier mon jeu de timbres sur la Paix.

Pauvre Ralph! Une bataille terrible se livrait en lui. Il cria: — Attends, Tommy! OK, mais tu promets de ne pas toucher? C'est moi qui tourne les pages.

Tommy cachait un petit sourire satisfait en se rasseyant devant la table. Mais il fut incapable de cacher son admiration en apercevant les magnifiques timbres. — Oh, wow! George VI!... Ils sont beaux, Ralph, c'est des timbres de la Confédération.

Ralph était heureux. Pour une fois qu'il réussissait à impressionner Tommy. Mais son copain ne se contentait pas de regarder. Il avançait la main. Ralph cria: — Non! Ôte tes doigts de là.

Avec précaution, presque religieusement, il continuait de tourner les pages. Soudain, Tommy poussa une exclamation: — Oh non, six timbres du «Bluenose», en parfaite condition!

Sans aucun doute, Tommy connaissait son affaire. C'était, en effet, des timbres du fameux petit voilier à deux mâts qui fut un bateau de course très célèbre dans les années 1920. Des timbres rares et d'une grande valeur. De nouveau, il avança la main. Ralph cria: — Non, ne touche pas!

Aussitôt, il tourna la page. Tommy avait sauté sur son siège. Qu'est-ce que c'était que ça? Seul, dans une petite enveloppe, un autre timbre du «Bluenose»? Même Ralph était surpris. Son père avait seulement six «Bluenose». Qu'est-ce que celui-là pouvait bien faire là? Tout seul dans sa petite enveloppe? Il n'avait sûrement pas une grande valeur. Tommy avait sorti son jeu de timbres de la Paix. — Tiens, Ralph! Tous mes timbres contre ce vieux «Bluenose» écorné!

Ralph n'en croyait pas ses oreilles. Même Albert serait fier de lui. Mais aussitôt, il se ressaisit: — Non, celui-là, c'est à mon père. — Ah, voyons, cajola Tommy, c'est juste un petit timbre ordinaire.

Ralph était dans tous ses états. Son père serait furieux s'il découvrait que Ralph avait pris un de ses timbres. Mais Ralph pouvait-il vraiment laisser filer cette incroyable occasion? Il hésitait.

Soudain, les deux garçons levèrent la tête en même temps. Quelqu'un frappait bruyamment à la porte de la maison. Ralph courut à la fenêtre, se pencha et blêmit. — Oh non, murmura-t-il, c'est Albert!

Tommy était très ennuyé de se faire déranger mais pas inquiet pour

deux sous. Très calme, il dit à Ralph:
— C'est pas grave. T'as juste à lui dire que t'es pas là, c'est tout.

Ralph fit la grimace. — Tu veux que moi, je lui dise???

Tommy rit. — Bon, envoie ta sœur à ta place. — C'est une bonne idée ça, merci, s'exclama Ralph, soulagé.

Il courut prévenir sa sœur et revint aussitôt en fermant la porte derrière lui. C'était tout le temps dont Tommy avait eu besoin pour sortir le précieux timbre de l'enveloppe et l'examiner sous le verre grossissant. Heureusement que Ralph n'avait pas entendu l'exclamation de surprise de Tommy, ou malheureusement, car il aurait certainement été beaucoup plus prudent. C'est Tommy qui commençait à être inquiet. Il prit l'air fanfaron, tout à fait désintéressé, puis annonça:
— OK, dernière chance. Je vais compter jusqu'à trois: un...

Ralph hésitait encore. — C'est à mon père... je peux vraiment pas l'échanger.

Imperturbable, Tommy continua:
— Deux... — Arrête, Tommy! Donne-moi une minute. — Trois! Je regrette, mais il est trop tard, dit Tommy en se dirigeant vers la porte.

Ralph était au désespoir. Il courut vers Tommy, tenant le timbre serré entre ses doigts: — OK, prends-le!

Tommy était ravi, mais bien sûr il n'en laissait rien paraître. Il alla même jusqu'à se payer le luxe de faire patienter Ralph. — Non, t'as raté ta dernière chance. — Non, supplia Ralph, vas-y, prends-le!

Tommy fit claquer ses doigts devant le nez de Ralph. Il semblait réfléchir. — Je t'en supplie, Tommy! insista Ralph.

Un autre petit claquement et Tommy sortit lentement un paquet de timbres serré dans sa ceinture. Si Ralph avait été le moindrement attentif, il aurait pu voir le coin d'un deuxième paquet de timbres sous la ceinture de Tommy... — OK, dit Tommy, l'air détaché, je te donne une deuxième chance parce que t'es un bon gars.

Le pauvre Ralph sautait de joie. — Oh merci, Tommy, merci infiniment!

Le rusé Tommy lui donna une petite tape sur l'épaule. — Ton père va être fier de toi, dit-il en s'éclipsant en douce.

Ralph courut vers la table et ajusta le verre grossissant sur ses nouveaux timbres. Mais horreur! Il découvrit aussitôt que ce n'était pas le jeu de timbres sur la Paix! Il n'en croyait pas ses yeux. — Eh, Tommy! Ce ne sont pas les bons timbres. Tu t'es trompé!

Il leva la tête, regarda dans la pièce. Personne. Tommy avait disparu, bien sûr, et il était déjà rendu en haut de l'escalier. Il s'était arrêté à peine une seconde devant la chambre des filles, juste le temps de crier: — Salut, Carte Postale, puis il dégringola l'escalier à toute vitesse.

Ralph était sorti du bureau de son père en courant. Il descendit l'escalier quatre à quatre et sortit à la poursuite de Tommy. — Tommy, attends! Tu t'es trompé! C'est pas les bons timbres.

Mais Tommy avait déjà repris sa bicyclette. Un grand sourire moqueur éclairait son visage. — Bye, Ralphie! Farceur un jour, farceur toujours!

Il avait disparu. Le pauvre Ralph courait toujours à sa poursuite, pantelant. Mais, au coin de la rue, une voiture venait de tourner. Ralph s'aperçut avec épouvante que c'étaient ses parents qui arrivaient. Toute l'horreur de la situation lui apparut soudain. Il vira sur ses talons et plongea la tête la première dans la haie.

* * *

La voiture s'arrêta devant l'entrée de la maison. Pierre, le père de Ralph, avait l'air interloqué. Il plissa ses petits yeux myopes derrière ses lunettes sévères et étira le cou, si bien que son nœud papillon sembla avoir pris vie. Il montait et descendait sur sa gorge comme s'il était en colère lui aussi. Plus calmement, Jeanne, la mère de Ralph, descendit de voiture à son tour. Elle jeta un coup d'œil perplexe à son mari. — C'est étrange ça, dit Pierre. — En effet, répondit Madame Lambert. Je me demande ce qui lui prend.

Puis, se tournant vers leur passager, assis à l'arrière de la voiture, elle ajouta: — Excusez le bizarre accueil de notre fils, Monsieur Bronson.

Pierre avait ouvert la portière et aidait un frêle vieillard à sortir de la voiture. Le vieux monsieur était élégamment vêtu d'un pantalon gris et d'un veston marine. Son visage était sérieux, mais ses yeux souriaient. Il suivit Pierre qui le conduisit vers la maison. Tout à coup, Pierre entendit un petit bruit. Il tourna la tête et aperçut Ralph, qui avait laissé sa cachette et courait vers le fond du jardin. Il s'exclama: — Cette histoire devient totalement ridicule! Excusez-moi une seconde, Monsieur Bronson, il se passe quelque chose d'étrange ici.

Il contourna la haie et s'engagea dans le jardin à la recherche de Ralph. Il fut de plus en plus éberlué en voyant son fils qui courait comme un fou à la recherche d'une cachette. Il le vit disparaître derrière un autre buisson. Pauvre Ralph, il était tout à fait incapable de faire face à son père. Il avait tant d'admiration pour lui et pourtant, il avait trahi sa confiance. Que faire? Devait-il avouer sa faute tout de suite ou attendre que son père la découvre? Ça ne saurait tarder pourtant. Sûrement, il allait regarder ses timbres avec Monsieur Bronson, ce grand spécialiste, cet éminent collectionneur de timbres. Pour l'instant, Ralph ne songeait qu'à gagner du temps. Il entendit son père qui venait vers lui: — Ralph, ça suffit! Tu peux m'expliquer ce qui se passe, s'il te plaît?

Mais Ralph n'en avait pas le courage. Il se rua vers l'abri de jardin, poussa la porte et s'y enferma en tirant le loquet.

Monsieur Lambert haussa les épaules. Il ne pouvait faire attendre son invité plus longtemps. De plus en plus perplexe et irrité, il revint vers la maison.

Jeanne avait installé Monsieur Bronson dans un confortable fauteuil et lui servait des hors-d'œuvre. — C'était Ralph? demanda le vieil homme. — En effet, répondit Pierre, à la fois courroucé et humilié par le comportement de son fils.

Il valait mieux parler de timbres! — Je veux vous montrer la série inversée dont je vous ai parlé, Monsieur Bronson, dit Pierre en allant chercher son album dans son bureau. Il tendit la main vers son gros album rouge, hésita, puis se ravisa. Non, cette série était probablement dans son album bleu. Ouf, sans le savoir, Ralph venait de l'échapper belle.

Pendant que Ralph se torturait l'esprit dans sa cachette, Monsieur Lambert montrait à son vieil ami les précieux timbres imprimés la tête en bas. Il jetait de temps à autre un coup d'œil vers la porte, espérant voir entrer son fils. — Ralph sera là dans quelques minutes, dit Pierre à

Monsieur Bronson, peut-être dans l'espoir de se rassurer lui-même.

Sa femme chuchota en passant près de lui: — Tu devrais peut-être essayer de le trouver...

Pierre soupira, puis, laissant son invité aux bons soins de Jeanne, il sortit dans le jardin et se dirigea tout droit vers l'abri. Il secoua la poignée, mais la porte était bien barricadée de l'intérieur. Rien ne bougeait. «Surtout, ne pas me fâcher», murmura Pierre en serrant les dents. Il prit une voix douce: — Ralph, Monsieur Bronson est ici. Je sais combien tu mourais d'envie de le rencontrer...

Un moment de silence, puis Ralph répondit d'une voix piteuse: — Pas ce soir, papa, j'ai pas le goût de le voir. — Mais qu'est-ce qui se passe? insista Pierre. Tu sais, c'est lui qui m'a fait aimer les timbres quand j'avais ton âge. C'est lui qui m'a donné mon premier album! — Pas ce soir, répéta Ralph, d'une voix à peine audible.

Et pour cause! Recroquevillé par terre au fond de l'abri, Ralph tremblait d'effroi. Il ne souhaitait qu'une chose: que son père l'oublie, qu'il le laisse à sa misère. Ce que Pierre se résigna d'ailleurs à faire, faute de mieux.

Furieux, déconcerté, honteux et vaguement inquiet du bizarre comportement de son fils, il hocha la tête en retournant lentement vers la maison.

Heureusement, Nancy était descendue de sa chambre juste au bon moment. En effet, à la cuisine, Jeanne préparait d'autres canapés pour son invité, alors que Pierre était encore au jardin. Un peu timidement, elle s'avança vers le vénérable vieillard et lui tendit la main: — Bonsoir, je m'appelle Nancy. — Bonsoir, Nancy. Tiens, assieds-toi près de moi, dit-il avec un sourire en l'invitant à prendre place sur le sofa. Je suis Monsieur Bronson. — Oh oui, je sais, dit Nancy en rougissant légèrement. Vous êtes vraiment un grand collectionneur?

De biais, sans en avoir l'air, elle examinait l'étrange visage du vieil homme. Un côté de son visage était presque immobile, alors que l'autre souriait. Il haussa les épaules en répondant: — Non, non, pas si grand... Et toi? En venant, ton père me racontait que tu avais des correspondants partout à travers le monde. Tu t'intéresses aux timbres, toi aussi?

Timidement, n'osant surtout pas

offenser Monsieur Bronson, Nancy avoua: — Non, pas vraiment, je préfère les cartes postales.

Monsieur Bronson eut un léger rire. Il expliqua: — Tu sais, les timbres sont merveilleux. Ils peuvent soulever une carte postale, ou n'importe quel gros colis, et l'envoyer à travers le monde.

Nancy ne put s'empêcher de rire à cette idée saugrenue. — Mais ce ne sont pas les timbres qui font ça! — Oui, oui, ce sont les timbres, insistait Monsieur Bronson.

Nancy n'osait plus contredire le vieil homme. Heureusement, sa mère et son père, presque en même temps, entrèrent au salon. Pierre reprit la conversation avec Monsieur Bronson.

Chapitre 3

L'homme sur le mât

Dans un centre commercial de quartier se trouvait une petite boutique de timbres, tenue par les plus étranges comparses qu'on puisse imaginer: Phil et Jimmy. Chose certaine, ils n'avaient pas l'air d'être souvent d'accord. Quiconque passait par là pouvait les apercevoir en train de se disputer sur le prix qu'il fallait vendre tel ou tel timbre.

Curieux bonshommes! Phil était énorme et portait une barbiche noire bien taillée. Il avait une grosse voix de baryton, un ventre bien garni qui se battait avec sa ceinture et des petits yeux perçants de filou dans un visage très sérieux.

Jimmy, lui, était tout à fait le contraire. Souriant, maigre comme une échalote et rasé de près, il portait toujours autour de son front une courroie qui retenait une lampe dont il se servait pour examiner les timbres. Un sourire étrange ne quittait jamais son visage et il avait toujours l'air de n'attacher aucune importance à quoi que ce soit, sauf, peut-être, aux prix des timbres. Et encore!

Aujourd'hui, justement, il regardait distraitement Tommy qui venait de déposer des timbres sur le comptoir. Pour une fois, il avait perdu son éternel sourire. Tommy était un client beaucoup trop régulier à son goût. Chaque fois qu'il venait, il les dérangeait. Il touchait à tout, babillait sans arrêt et les hommes n'avaient pas assez de leurs quatre yeux pour le suivre.

En plus, aujourd'hui, il était tard lorsque Tommy arriva et les deux compères n'étaient pas du tout contents. Mais fidèle à lui-même, Tommy ne s'en préoccupa pas le moins du monde. Il claironna: — Comment vont les affaires?

Phil ne fit ni un ni deux. Malgré son gros ventre, il courut à la rencontre de Tommy et le saisit au collet: — Où est le jeu de timbres de la Paix que tu nous a volé la semaine dernière?

Tommy ouvrit de grands yeux innocents: — J'ai rien volé. Je l'ai emprunté, pas vrai, Jimmy?

Jimmy se tortilla nerveusement sous le regard courroucé de son partenaire. — C'est vrai, Jimmy? Tu lui as prêté ça? demanda Phil.

Jimmy n'osa pas avouer qu'il avait surtout voulu se débarrasser de Tommy. Il répondit piteusement: — Je ne m'en souviens pas. — Est-ce que tu l'as? demanda Phil menaçant, en tenant toujours Tommy au collet.

Tommy lui servit son plus beau sourire. — Bien sûr!

Et mystérieux, il ajouta: — Ça prend un appât si on veut attraper un poisson!

Il sortit l'enveloppe de sa poche et la déposa sur le comptoir.

Phil était soulagé, mais de fort mauvaise humeur aussi. Sévère, il dit: — Peut-être, mais c'est «mon» appât. Tu es chanceux qu'il soit en bon état. Et d'ailleurs, si c'est un appât, ça veut dire que tu t'en es servi à l'école pour attraper quelqu'un! Et ça, mon bonhomme, ça donne une mauvaise réputation aux timbres et à notre magasin. — Moi, Monsieur? dit Tommy avec un air de chérubin. — Oui, toi! dit Phil de sa grosse voix.

Mais peut-être que Tommy avait un ange gardien qui le protégeait après tout parce que, juste à ce moment-là, un client entra dans le magasin.

C'était Sid, un vieux toqué, à peine moins dangereux que Tommy pour les deux hommes. Il avait toujours plein de tours dans son sac, lui aussi. — Allô, allô! cria-t-il en entrant.

Avec sa drôle de casquette plate et

son sourire édenté, Sid ne passait nulle part sans attirer l'attention. Il brandissait un vieux paquet mal ficelé au bout de son bras. Phil ne put s'empêcher de demander: — Qu'est-ce que t'as là-dedans?

Et Jimmy, l'incorrigible curieux, répéta: — Oui, qu'est-ce que t'as là-dedans?

Tommy était ravi. Les deux bonshommes avaient changé de sujet. Il se recula un peu pour observer la scène. — Ah, tonna Sid, c'est un secret! C'est un vieil album que j'ai reçu d'une brave petite veuve. Et savez-vous quoi? Eh bien, j'ai résisté à la tentation de l'ouvrir!

Pour s'en débarrasser, Phil dit aussitôt: — Très bien, je t'offre cinquante dollars sans le voir. — Seulement cinquante? s'offusqua Sid. J'ai payé vingt-cinq dollars pour l'avoir. — Ouais, dit Phil, je t'offre le double de ce que tu as payé pour quelque chose que je n'ai même pas vu. — Peut-être, mais ça vaut peut-être aussi des milliers de dollars, insista Sid. — Ou rien du tout, ajouta Phil avec une certaine logique.

Pendant ce temps, Tommy s'impatientait. Passe toujours que les bonshommes aient changé de sujet, mais qu'ils ne s'occupent plus de lui, c'était moins drôle. Il s'interposa: — Eh, les gars, et moi, vous m'avez oublié?

Phil eut un geste impatient. — Écoute, garçon, on parle entre adultes, ici.

Sid continuait son exposé sans prêter attention à Tommy. — Avec tout ce qu'il y a de timbres là-dedans, vous ferez probablement un million.

Mais Tommy s'était placé devant Sid et il posait un timbre sur le comptoir. Il poussa Phil du coude, l'air goguenard: — Et ça, les gars? Qu'est-ce que vous dites de ça?

Malgré lui, Phil jeta un coup d'œil. Il haussa les épaules: — Ça? C'est juste un vieux «Bluenose». — Regardez un peu mieux, monsieur l'expert! ricana Tommy.

Cette fois, un petit quelque chose dans la voix de Tommy avait attiré l'attention de Phil. Il choisit sa loupe la plus puissante et s'approcha du timbre. Tommy ajouta, ironique: — Je suppose que vous êtes capable de reconnaître «l'Homme sur le mât» quand vous en voyez un? — Évidemment, protesta Phil. Et selon toi, beau connaisseur, c'en est un ça? — C'est comme vous dites, nargua Tommy.

Dès le premier coup d'œil, Phil avait évidemment reconnu le précieux timbre. Sid et son vieux paquet mal ficelé avaient perdu tout intérêt. Les yeux du gros Phil brillaient. — Regarde ça, dit-il à son associé, qui se pencha à son tour sur le timbre. — C'est quoi ça, «l'Homme sur le mât»? demanda Sid. — C'est le bateau «Bluenose» qui porte une très rare faute d'impression. Tu vois le petit point sur le mât? Eh bien, il ressemble à un homme. C'est pour ça qu'on l'appelle «l'Homme sur le mât». — Parfait, exulta Tommy devant l'enthousiasme de Phil. Vous pouvez l'avoir pour seulement trois cents dollars.

Phil lui lança un regard soupçonneux. — Où tu as déniché ça, toi?

Tommy fit entendre son petit rire en cascade. — Posez pas de questions et je vous dirai pas de mensonges!

Phil hésita un instant, puis sortit trois billets de cent dollars qu'il tendit à Tommy. Celui-ci les empocha et disparut aussitôt.

* * *

Une heure plus tard, Tommy grimpait l'escalier branlant d'une vieille maison défraîchie. Ses bras étaient chargés de gros sacs d'épicerie. Il les déposa sans bruit sur la table de la cuisine. D'une petite pièce au fond de l'appartement, il entendait le moteur de la machine à coudre sur laquelle sa mère travaillait. Elle passait toutes ses journées à cette machine, jusque tard dans la nuit. Il fallait bien, pour réussir à nourrir tous les enfants.

Tommy eut un élan de tendresse pour la grosse dame tellement absorbée par son travail qu'elle ne l'avait pas entendu entrer. Il allait lui faire la surprise, mais d'abord il fallait qu'il aille vérifier ce qui se passait dans la petite ruelle derrière la maison. Une ribambelle d'enfants criaient à tue tête.

Il sortit et aperçut ses six frères et sœurs qui lançaient une rondelle dans un filet de fortune installé sur l'asphalte. — Salut, Tommy, crièrent les petits en l'apercevant.

Il eut un sourire paternel en leur envoyant la main.

Aîné de la famille, Tommy sentait sur ses petites épaules la lourde tâche d'aider sa mère à s'occuper des petits. Mais il fallait aussi qu'il fasse preuve d'autorité. — Tina, enlève mes lunettes de soleil. J'aime pas qu'on touche à mes affaires, tu le sais.

Après s'être assuré que la petite avait obéi, il rentra à la maison. Sa mère s'amena dans la cuisine en l'entendant parler. — Maman, regarde ce que j'ai acheté, dit-il en déballant les victuailles de toutes sortes.

Sa mère fronça les sourcils. Ce garçon l'inquiétait. — Où est-ce que tu as pris l'argent, Tommy?

Tommy lui servit son plus innocent sourire. — Je t'ai toujours dit que les timbres étaient une excellente affaire, non?

Sa mère le regarda bien en face : — T'as pas encore fait un mauvais coup, hein? Tu sais que je ne pourrais pas le supporter, Tommy.

Le visage de Tommy s'assombrit. Il voulait tellement aider sa mère. — Mais non, dit-il sur un ton rassurant. Je suis juste un bon homme d'affaires, je te l'ai toujours dit.

Elle n'osa pas insister. Au fond, elle était terriblement contente de voir toute cette nourriture sur la table et Tommy essayait tellement fort de la soulager...

Chapitre 4

Un faux trésor

À l'autre bout de la ville, le soir était tombé aussi chez les Lambert. Monsieur Bronson était venu et reparti sans que Ralph ait montré le bout de son nez. Jeanne terminait les derniers préparatifs du repas et Pierre, toujours ennuyé par l'attitude de son fils, s'était retiré dans son bureau. Nancy s'inquiétait elle aussi. Elle sortit dans le jardin et appela son frère. — Ralph, où es-tu?

Pas de réponse. Elle vérifia dans l'abri de jardin, regarda autour de la maison, mais Ralph n'était nulle part. Elle rentra à la maison et monta à sa chambre.

Caché sur le petit balcon de l'étage

où il était grimpé, Ralph avait observé les allées et venues de sa sœur. Devait-il lui répondre? Il faisait toujours pleine confiance à Nancy, mais cette fois, sa faute était si grave qu'il n'osait pas se confier même à elle. Pourtant, il ne pouvait tout de même pas passer la nuit dehors.

Il rassembla tout son courage et frappa aux carreaux de la fenêtre. Nancy se précipita aussitôt et le rejoignit sur le balcon.

En voyant le visage terrorisé de son frère, Nancy s'écria : — Ralph, qu'est-ce qui t'arrive?

Le pauvre Ralph ne put résister. En deux mots, il raconta tout à Nancy.

À ce moment précis, ils entendirent Jeanne qui criait depuis la salle à manger: — À table, le repas est servi.

Ralph se mit à trembler. La minute de vérité avec son père approchait. Nancy l'encouragea: — Ralph, tu ferais mieux de tout dire à papa avant qu'il ne le découvre lui-même. — Oui, c'est ça, et si je le dis à papa, qui est-ce qui va passer un mauvais quart d'heure? Toi, peut-être?

Logique, Nancy proposa: — Alors, reprends le timbre à Tommy, c'est tout.

Ralph se remit à trembler. — Bien sûr, et c'est lui qui va m'assommer!

Nancy ne put s'empêcher de commenter: — Je trouve que tu as de bien bizarres amis, Ralph.

Ralph explosa: — Tommy est pas mon ami et moi je suis pas un peureux et si tu continues, je te dirai plus jamais rien.

Nancy s'excusa: — Mais non, Ralph, c'est pas ce que j'ai voulu dire.

Elle se tut un moment. Elle réfléchissait. Soudain, elle s'exclama: — Écoute, j'ai une idée! Pourquoi on n'irait pas au magasin de timbres? Ils ont peut-être des «Bluenose». On pourrait en acheter un et papa ne verrait pas la différence... Écoute, j'ai épargné trente dollars, ça serait assez, tu penses?

Ralph sauta au cou de sa sœur. — Trente dollars? Oh oui, Nancy. Merci, merci, Nancy.

Elle était presque intimidée par la reconnaissance de son frère. Elle le calma. — Ça va, ça va! — Tu me sauves la vie! dit-il en l'embrassant de nouveau.

Décidément, Nancy n'en demandait pas tant. — Calme-toi un peu... Bon, je vais aller manger avec papa et maman. Je leur dis que tu es chez Albert et aussitôt que j'ai terminé, je te retrouve au magasin de timbres. D'accord? — Oh oui, d'accord! N'oublie pas les trente dollars.

* * *

Il faisait presque nuit lorsque Nancy arriva au magasin de timbres. Ralph l'attendait, totalement affamé, évidemment. — Tu m'as apporté de quoi manger? demanda-t-il avec espoir.

Nancy sourit. Elle brandit un petit sac de papier. — Toute une cuisse de poulet et deux tartines. Vite avant que le magasin ferme, et te salis pas les doigts.

Ralph avala son poulet sans prendre le temps de respirer. Il sentit un peu de force et de courage lui revenir. Quelle sœur extraordinaire! Mais Nancy le pressait. — Vas-y, Ralph, qu'est-ce que tu attends?

Il lui lança un regard suppliant. — Vas-y la première!

Nancy haussa les épaules. — Vraiment, Ralph, je ne vois pas de quoi tu as peur.

Elle poussa la porte du magasin. À

sa demande, Phil avait sorti son assortiment de timbres du «Bluenose». Il tournait lentement les pages une à une, mais Ralph faisait signe que non. — Je vous laisse n'importe quel timbre sur cette page à un prix d'ami, disait Phil... seulement trente dollars.

Ralph essaya de poser une question. Le gros Phil l'interrompit. La journée avait été longue et il avait hâte de rentrer chez lui. — Pas un mot de plus, autrement, il passe à soixante dollars. — C'est vrai, ajouta Jimmy comme un écho. Normalement, ils sont soixante dollars.

Ralph se tut et continua à examiner les timbres. Plus il regardait, plus il se sentait découragé. Nancy le poussa du coude: — Trouves-en un qui ressemble au sien, il ne verra jamais la différence.

Il faut dire que Nancy ne s'y connaissait pas beaucoup en matière de timbres! Mais pour Ralph, c'était bien différent. — C'est pas évident que je peux en trouver un qui ressemble au sien. J'en vois aucun.

Il profita du fait que Phil avait le dos tourné et passa à une autre page. Là, seul sur sa page, trônait un timbre. Nancy le pointa du doigt: — Peut-être que celui-là lui ressemble plus?

Ralph avait ouvert la bouche. Il ne pouvait pas en croire ses yeux. Non seulement ce timbre ressemblait à celui de son père, mais C'ÉTAIT celui de son père! Il l'avait reconnu au premier coup d'œil. Impossible de se tromper! Il posa le doigt sur le timbre et se mit à crier: — C'est celui-là! Je suis sûr que c'est celui-là. Je le reconnais, c'est son timbre.

Phil et Jimmy avaient dressé l'oreille, attirés par l'exclamation de Ralph. Le gros Phil s'approcha de lui, l'air furibond: — Qui t'a donné la permission de tourner les pages? J'ai dit trente dollars et seulement pour ces timbres-ci, dit-il en revenant à la page de timbres qu'il avait indiquée à Ralph.

Énervé, Ralph sautait d'un pied sur l'autre. — Je veux ce timbre-là, pas les autres. Celui-là!

Phil ricana: — Non, celui-là, il est différent. On l'appelle «l'Homme sur le mât»... — Oui, oui, coupa Ralph, et c'est celui-là que je veux. Nancy, tu as les trente dollars? — Trente dollars! s'exclama Phil.

Jimmy l'interrompit en riant: — C'est pas trente, c'est six cents dollars qu'il vaut ce timbre-là.

— Et c'est pas cher pour «l'Homme sur le mât» renchérit Phil.

Ralph était tellement en panique qu'il ne trouvait plus ses mots. Il bégaya:

— Mais c'est... c'est à mon père! C'est son timbre à lui!

Phil et Jimmy se lancèrent un petit regard inquiet.

— Ah oui? C'est à ton père? demanda Phil. Je ne vois pas son nom écrit dessus.

Ralph passait par toutes les couleurs de l'arc-en-ciel. Plus un mot n'arrivait à sortir correctement de sa bouche. Nancy commençait à s'inquiéter sérieusement. Elle cria aux deux bonshommes: — Mon frère n'est pas un menteur. S'il le dit, c'est que c'est vrai!

Ralph se tenait la tête à deux mains. De plus en plus désespéré, il bafouilla: — C'est à mon père! C'est le timbre de mon père!

Phil commençait à s'énerver lui aussi: — Écoute, jeune homme, n'importe qui peut entrer ici et affirmer que ce timbre lui appartient. Si c'est à ton père, dis-lui de venir le voir. S'il peut nous prouver que c'est à lui...

Cette suggestion de Phil n'était pas

précisément la meilleure pour calmer Ralph. En fait, sa panique monta d'un autre cran. Il cria: — Oui, c'est ça! C'est facile à dire, amener mon père ici. D'abord, il déteste votre magasin et moi aussi.

Ralph bondissait comme une chèvre autour du comptoir. — Je sais comment vous avez eu ce timbre-là, moi, je le sais. — Du calme, mon garçon, dit Phil, que toute l'histoire commençait à inquiéter sérieusement. Mais Ralph n'entendit pas le bon conseil. Déjà il s'était rué vers la porte et il était dehors. Nancy ne savait plus quoi faire. Clouée sur place, elle éclata en sanglots. Son idée de génie avait seulement réussi à empirer les choses. Le gros Phil s'approcha d'elle: — Allons, allons, ne pleure pas... Si tu cesses de pleurer, je vais te donner un cadeau...

Nancy renifla un peu, en ravalant ses larmes. — Jimmy, passe-moi l'album que le vieux Sid nous a laissé hier.

Jimmy protesta: — Hé, t'es pas sérieux? On l'a même pas encore ouvert!

Mais, ayant deviné qu'il y avait anguille sous roche avec le fameux timbre «Bluenose», Phil tenait absolument à calmer la fillette. Il insista avec un beau sourire. — La petite fille est triste, Jimmy. Donne-moi l'album.

Ce que fit Jimmy, mais à reculons. Phil le tendit aussitôt à Nancy. — Tiens, regarde. On vient tout juste de l'acheter. Il y a peut-être des trésors fabuleux, là-dedans. Je te le donne, il est à toi!

Un peu réconfortée, Nancy esquissa un sourire timide et prit l'album. Elle ne demandait pas mieux que de quitter les lieux...

* * *

Ralph était sorti du magasin, bien décidé à affronter Tommy. Il fallait à tout prix qu'il lui rende l'argent qu'il avait obtenu pour le timbre. Comment Tommy avait-il osé lui faire ça?

Ralph se dirigea résolument vers la rue où habitait Tommy. Il fit le tour de la maison et s'approcha de l'appartement par la ruelle obscure. Tommy habitait au deuxième étage. De la petite cour, Ralph pouvait entendre les cris des enfants qui filtraient par la porte de la cuisine. Une voix de femme fatiguée disait: — Du calme, les enfants, Tommy va tous vous servir.

Mais arrêtez de crier!

Tous les enfants acquiescèrent en même temps, en criant bien sûr.

Ralph s'engagea à pas de loup dans l'escalier raide qui menait au balcon où il s'embourba d'ailleurs dans les vêtements de toutes tailles qui séchaient sur des cordes tendues d'un bout à l'autre. Par la fenêtre, il aperçut Tommy qui avait déposé une marmite au milieu de la table. Les six gamins poussèrent leurs assiettes en criant: — Moi d'abord, j'ai faim! — T'en as déjà eu une portion! — J'en veux une autre. — Voulez-vous vous taire, tonna Tommy.

Soudain, il s'éloigna de la table et vint mettre le nez dans la porte du balcon, comme s'il avait entendu quelque chose. Le cœur de Ralph fit un bond et il se colla dans l'ombre contre le mur du hangar.

Tommy retourna à la table et Ralph avança de quelques pas avec prudence. Les cris des petits avaient repris de plus belle. — J'en veux une autre portion! — T'en as eu combien? demanda Tommy — Une seule! — Menteur, menteur, cria un petit frère.

Même le petit chien blanc de Tommy se mêla au concert pour partager les victuailles. Tommy fronça les sourcils. Il arrêta de servir les petits et prit un air sévère. — Je ne veux plus jamais entendre ce mot-là ici, compris?

Le plus brave des petits s'exclama: — Et toi? Tu mens à maman... Où est-ce que t'as pris l'argent, hein?

Du fond de la pénombre du balcon, Ralph observait la scène. Il était venu, bien résolu à exiger que Tommy lui rende l'argent du timbre. Mais que faire maintenant? C'était évident que Tommy l'avait déjà dépensé. Et puis, il faut dire que Ralph était plutôt désarçonné par la scène. Tout ici était tellement différent de chez lui. Il continua à observer. Tommy criait: — Où j'ai pris l'argent, c'est mon affaire. Et vous, vous allez apprendre à dire la vérité et rien d'autre. — Et papa, lui? demanda une petite voix. Est-ce qu'il disait la vérité?

Les yeux de Tommy lancèrent des éclairs: — Toi, tu ferais mieux de te taire. Papa est parti. Je ne veux plus entendre parler de lui.

Ralph était tellement fasciné par ce qu'il voyait et entendait qu'il en avait pratiquement oublié la raison de sa présence chez Tommy.

Les enfants criaient toujours, mais

le petit chien Popsie, qui avait terminé son repas, commençait à en avoir assez du tapage. Il était maintenant près de la porte qu'il poussait violemment du nez. Il se retrouva sur le balcon. De sa cachette, Ralph l'aperçut aussitôt... et le petit chien aussi évidemment. Ralph prit panique. Avec de grands gestes, il tenta d'éloigner le petit intrus, mais malheureusement, il accrocha une échelle appuyée au mur. Elle s'abattit avec fracas sur le balcon. Il n'en fallut pas plus pour déclencher ce que Ralph aurait bien voulu éviter. Une fillette cria: — Qu'est-ce que c'est? — Un espion, dit un des gamins en se précipitant sur le balcon, aussitôt suivi de toute la marmaille.

Ralph n'avait pas eu une seconde pour réfléchir. C'était le sauve-qui-peut! Malheureusement, il emprunta l'escalier le plus proche: celui qui montait au troisième. Il l'enfila quatre à quatre, grimpa sur le toit d'un hangar voisin, sauta sur un autre balcon puis dévala l'escalier du voisin. Hélas, il avait tiré sa veste sur sa tête pour ne pas être reconnu. Ce n'est pas la meilleure façon de descendre un escalier à la course. Surtout avec des gamins à sa poursuite. Il manqua la première marche et fit une magistrale culbute jusqu'en bas. Parfois la tête, parfois les pieds en premier. Ralph n'avait plus aucune notion de l'espace. Comble de malheur, son pantalon accrocha un malencontreux clou qui dépassait du mur. Une large entaille coupa le tissu jusqu'à la chair de sa cuisse. Mais au moins, il était en bas! Il récupéra sa bicyclette et jamais il ne pédala aussi vite de sa vie. — C'était qui? demanda Tommy, qui avait observé la poursuite de loin. — Je ne sais pas, j'ai pas vu son visage, dit son frère.

En moins de deux, les petits avaient repris leur place à table et recommençaient à crier de plus belle.

* * *

Ralph arriva chez lui à bout de force. Pantalon déchiré, jambe lacérée, il n'était pas particulièrement beau à voir. Dans les circonstances, pas question qu'il entre normalement par la porte. Dieu merci, à cause des rénovations en cours, une échelle était adossée au mur de la maison et, quelle chance! juste en dessous de la fenêtre de chambre de Nancy.

En attendant impatiemment le retour de Ralph, Nancy s'était installée sur son lit et défaisait le mystérieux paquet que le gros Phil lui avait donné. Un petit bruit sec à sa fenêtre la fit sursauter. Elle y courut, juste à temps pour accueillir le pauvre Ralph qui essayait avec peine d'entrer par la fenêtre ouverte. Il tomba littéralement à ses pieds. Elle aperçut aussitôt le pantalon rougi par le sang. Horrifiée, elle s'écria: — Oh mon Dieu, Ralph! Bouge pas!

En fille pratique qu'elle était, Nancy courut chercher la trousse de premiers soins. Elle se mit aussitôt à nettoyer et désinfecter la plaie au peroxide, mais elle ne put réprimer une grimace: — Ouf, c'est affreux!

Si Nancy faisait la grimace, on peut imaginer celle de Ralph. Il pâlissait à vue d'œil. Nancy essaya bien vite de lui changer les idées pendant qu'elle appliquait le pansement: — Alors, tu as récupéré l'argent? — Ben non, répondit Ralph en poussant des plaintes pathétiques. Ils m'ont poussé en bas de l'escalier...

Indignée, Nancy ne prit même pas la peine de demander qui. Elle s'exclama: — C'est des vrais monstres!

Elle fit une petite caresse sur la joue pâle de Ralph: — En tous cas, moi, je te trouve très brave d'être allé chez lui...

Penaud, Ralph protesta: — J'ai pas été brave... — Eh bien moi, je trouve que oui!

Soudain, Nancy bondit sur ses pieds: — Oh, j'allais oublier. J'ai eu un beau cadeau au magasin de timbres. Ça vaut une fortune.

Toujours grimaçant et seulement pour lui faire plaisir, parce que Ralph n'avait absolument pas envie d'entendre parler du magasin de timbres, il demanda: — Qu'est-ce que c'est?

Toute fière de son acquisition, Nancy lui tendit l'album. À reculons, Ralph jeta un coup d'œil. Sur le couvercle, il lut l'inscription imprimée en relief sur un globe terrestre: ALBUM DU MONDE. Si Ralph avait été moins furieux contre lui-même et contre le monde entier, il aurait peut-être reconnu que c'était, en effet, un très vieil album, peut-être précieux, mais justement, Ralph était furieux... Il prit l'album et tourna brusquement les pages, l'une après l'autre. Il ne vit pas que l'album avait été imprimé au siècle dernier. Il vit seulement que quelques vieux timbres trônaient au milieu de leurs pages respectives.

Nancy suivait tous ses gestes d'un regard anxieux. Sûrement, il allait repérer quelque chose qui pouvait remplacer le «Bluenose». Mais le visage de Ralph était de plus en plus furieux. — Ça ne vaut rien! Absolument rien! cria-t-il. — Qu'est-ce que tu veux dire? demanda Nancy, dépitée.

La voix de Ralph monta d'un ton: — Pourquoi t'as pris ça? Tu ne vois pas qu'ils voulaient se débarrasser de toi? Jamais ils ne nous redonneront le «Bluenose».

Ralph criait maintenant et avec toute l'énergie du désespoir, il se mit à déchirer le vieil album, page par page. Horrifiée, Nancy cria: — Ralph, arrête! C'est mon album!

Mais Ralph n'entendait rien. Il continua de plus belle à détruire l'album jusqu'à ce que toutes les pages se soient envolées. Pour finir, il lança violemment l'album vide contre le mur.

Les larmes coulaient sur les joues de Nancy. — C'était un magnifique album, Ralph!

Ralph revint subitement à la

réalité. — Je m'excuse, Nancy, je suis désolé! Je ne sais pas ce qui m'a pris, tu es si gentille avec moi.

Sans dire un mot, Nancy se mit à ramasser les morceaux épars dans la chambre. Soudain, elle nota un morceau de papier qui dépassait de la doublure de la couverture cassée. Elle le retira avec précaution. Elle revint vers son lit et déplia lentement le papier sous la lumière de sa lampe. Surpris, Ralph demanda: — Qu'est-ce que c'est, Nancy?

Pas de réponse. Ralph était maintenant sorti de sa torpeur. Il vint s'installer près de sa sœur. Lentement, elle se mit à déchiffrer la belle écriture ronde et quelque peu enfantine sur le papier jauni. — «February 20, 1928»...

C'était écrit en anglais. Heureusement, Nancy était très forte en anglais à l'école et Ralph n'était pas mal du tout, lui non plus. Elle s'exclama: — Tu te rends compte, Ralph? «Le 20 février 1928». Ça fait longtemps, ça! Écoute! «Dear reader», dit la lettre, puis elle poursuivit en traduisant: «j'espère que vous êtes une personne honnête et pas comme ceux qui veulent me voler mon trésor...» — Quel trésor, en effet! marmonna Ralph.

Nancy lui lança un regard en coin. Décidément, son frère n'était pas de fort belle humeur! Elle continua: — «Like my 12 penny Victoria, for instance».

Cette fois Ralph dressa l'oreille: — Qu'est-ce que tu as dit? — «Mon 12 penny Victoria», répéta Nancy, et mon «Jubilée 1897»... — Wow! s'exclama Ralph, malgré lui. — C'est des bons timbres? demanda Nancy. — Je comprends! Je sais que papa donnerait n'importe quoi pour ça... Continue!

Nancy reprit sa lecture: — «Alors, j'ai décidé de cacher mes trésors... Et si quelqu'un veut les trouver, il devra affronter de grands dangers. Signé, Charles Merriweather, onze ans.» — Mais où il les a cachés, ses timbres? demanda Ralph. — Attends, dit Nancy, il y a un P.S.: «I hid my treasures on the other side of the world.» Quoi? Il dit qu'il les a cachés de l'autre côté du monde!

Ils se regardèrent, éberlués. — De l'autre côté du monde! À onze ans? dit Ralph. Ça n'a aucun sens.

Il réfléchit quelques secondes, puis s'exclama: — Albert le génie! Il faut demander à Albert. Lui seul peut nous mettre sur la piste.

* * *

Albert est le genre de personne qui n'arrive jamais à se mettre au lit, le soir. Il a plein d'habitudes bizarres, et comme il est toujours très systématique, il n'en finit plus. Premièrement, il replie son couvre-lit, deuxièmenent, il se dévêt en pliant soigneusement chacun de ses vêtements. Il enfile ensuite sa robe de chambre à carreaux puis va se laver les dents d'abord. Il prépare toujours son sac d'écolier pour le lendemain mais sans jamais y placer son album de timbres. Non, son album, il le dépose sur sa table de chevet, entre sa lampe et son radio-réveil, car c'est toujours la dernière chose qu'il regarde avant de s'endormir. Il faut bien qu'il fasse le point sur ses échanges de la journée pour préparer ceux du lendemain.

Ce soir-là, Ralph eut de la chance lorsqu'il appela Albert. Il était à peine rendu à «deuxièmement» et seule sa chemise était pliée. Ralph n'eut donc aucune peine à le persuader de venir les rejoindre immédiatement, lui et Nancy.

Dix minutes plus tard, ils étaient installés tous les trois dans la petite cabane au fond du jardin. À la lueur d'une chandelle, Albert se mit à son tour à lire la mystérieuse lettre avec attention.

Puis il tendit la lettre à Ralph d'un air perplexe: — Tu as raison, cette lettre n'a ni queue ni tête. — Ben alors, qu'est-ce qu'on fait? demanda Ralph, déçu.

Albert réfléchit une seconde, puis pointa le doigt vers Nancy. — D'abord, il faut que tu retournes au magasin de timbres. — Pourquoi moi? demanda Nancy, un peu offusquée par le ton autoritaire. — Parce que premièrement c'est à toi qu'ils ont donné l'album, répliqua Albert avec une grande logique... Et parce que deuxièmement, tu vas essayer de découvrir d'où vient cet album... — S'ils le savent! interrompit Ralph.

Albert continua sans prêter attention. — Et troisièmement, nous retracerons l'ancien propriétaire... — Peut-être qu'il est mort, interrompit encore Ralph.

Albert n'aime pas que les autres interrompent ses raisonnements logiques. Il se tourna vers Ralph et dit d'un ton sec: — Tu voulais mon avis, alors tu l'as!

Ralph n'osa pas répliquer. D'ailleurs après une telle journée, il était grand temps d'aller dormir. Faisant fi de toutes ses bonnes habitudes, Albert s'installa pour passer la nuit dans l'abri, pendant que Ralph et Nancy regagnaient leurs chambres sans bruit pour ne pas éveiller les parents.

Le lendemain matin, lorsqu'il descendit, Ralph fut infiniment soulagé de constater que son père avait déjà quitté la maison.

Pendant que Ralph servait à Albert un énorme bol de céréales, Nancy enfourchait déjà sa bicyclette et se dirigeait vers le magasin de timbres.

C'était peut-être le soleil radieux, ou peut-être le fait qu'il n'avait pas eu à affronter son père le matin, qui mettait Ralph d'aussi bonne humeur. Il faisait le clown en marchant comme Charlie Chaplin et venait juste de lancer à Albert un gros globe terrestre gonflable, lorsque sa mère sortit sur la véranda. — Bonjour, Albert. As-tu dormi ici? — Oui, madame Lambert, dans la maison du jardin, répondit poliment Albert. — C'est bien, dit

Jeanne en s'approchant de Ralph. — Dis donc, qu'est-ce qui s'est passé hier soir? Tu t'es comporté de façon vraiment bien bizarre...

Ralph rougit légèrement et lança de nouveau le ballon à Albert pour détourner la conversation. Heureusement, sa mère n'insista pas. Elle rentra en disant: — N'oublie pas, tu pars en excursion avec ton oncle, demain matin.

Ralph tomba sur sa chaise comme si le ciel venait de lui choir sur la tête. — Oh non, pas ça! — Quoi? demanda distraitement Albert, qui s'était mis à faire rouler le globe terrestre sur ses genoux. — Je me demande où est-ce que l'autre côté du monde peut bien être.

Il fit faire un tour complet au ballon et mit le doigt sur un petit point. — C'est ça, dit-il, c'est ici, en Australie... Eh, Ralph, qu'est-ce que tu dirais d'une petite visite en Australie?

Ce disant, il lança le ballon vers Ralph qui ne put l'attraper. Le gros globe roula dans l'herbe avec les deux garçons à sa poursuite. Ralph l'attrapa le premier et mit le doigt sur un point au hasard. — Et toi, Albert, qu'est-ce que tu dirais d'aller en Chine?

Les deux garçons roulèrent dans l'herbe en riant. Soudain, Ralph bondit sur ses pieds. Il venait d'avoir une idée lumineuse. — Tu sais quoi, Albert? Peut-être que Charles Merriweather voyageait comme nous, dans sa tête... — Qu'est-ce que tu veux dire? demanda Albert soudain devenu sérieux. — Ben oui, expliqua Ralph. Grâce à son imagination. Si le monde c'est l'album et que nous avons trouvé la première lettre dans la couverture avant de l'album...

Wow! Le cerveau d'Albert s'était mis à fonctionner à toute vitesse. Il coupa Ralph: — Ben alors, l'autre côté du monde devrait être dans la couverture arrière de l'album. Je dois t'avouer, Ralph, que tu m'impressionnes. Où est l'album? Le sourire de Ralph disparut aussitôt. Il se cogna le poing sur la tête. — Nancy l'a apporté avec elle au magasin de timbres.

Les réactions d'Albert étaient toujours rapides et logiques: — Vite, téléphone au magasin de timbres! — Oui, mais je leur dis quoi? demanda Ralph, éploré. — Tu dis seulement de lui dire de ne rien dire.

Ralph courait déjà vers la maison. Il s'arrêta net.

— Je leur dis quoi?

— Tu leur dis de lui dire de ne rien dire, c'est tout.

Ralph était loin d'être sûr que le message serait bien compris...

* * *

Nancy entra au magasin juste au moment où le gros Phil raccrochait le téléphone. Elle s'adressa poliment à lui, avec un gentil sourire. — Je m'excuse, Monsieur, j'aimerais seulement que...

Phil lui coupa la parole: — Te voilà déjà, toi? Ton frère vient de téléphoner et il a dit que nous devions te dire de ne rien dire. — Oh, dit Nancy, qui essayait désespérément de comprendre.

À son tour, Jimmy demanda d'un air suave: — Qu'est-ce que c'est que tu ne dois pas nous dire?

Nancy essayait de penser vite. Toute cette histoire devenait de plus en plus compliquée. Il fallait pourtant trouver quelque chose à dire. Elle bredouilla: — Je... eh ben, oui... j'étais sensée vous supplier de nous remettre le timbre «Bluenose» de mon père.

Jimmy secoua tristement la tête. —

De toute façon, il est trop tard. On l'a déjà vendu.

Juste à ce moment-là, Nancy entendit une petite toux sèche derrière elle. Elle se retourna et aperçut le vieux Monsieur Bronson. Il s'avança vers elle en souriant. — Nancy, je vois que tu as commencé à t'intéresser aux timbres, toi aussi. — Pas vraiment, murmura timidement la fillette. — En tout cas, tu es ici, c'est un début. Écoute, si jamais tu as un problème avec les timbres... parce que les timbres peuvent parfois causer de terribles problèmes, tu sais... alors, il ne faut pas hésiter, viens me voir, dit-il en lui tendant sa carte de visite.

Elle prit la carte, sourit gentiment et se dirigea vers la sortie. Elle ramassa son vélo et prit le chemin du retour. Confuse, perplexe, inquiète, Nancy pédalait le plus vite possible. Que voulait dire cet étrange message? Elle accéléra encore en tournant un coin de rue. Elle faillit entrer en collision avec un étrange appareil qui venait à sa rencontre à toute vitesse. C'était un rouli-roulant muni d'une voile de bateau. Encore une autre des folles inventions de Connie, le maniaque des planches à roulettes. Il faut dire qu'il s'habillait en prévision des coups, lui. Il avait de bonnes genouillères épaisses et un gros casque protecteur, mais pas Nancy. Elle donna un coup pour éviter le voilier roulant et se retrouva la tête la première, sa bicyclette sur le dos. Heureusement, elle était tombée sur un terre-plein gazonné. Elle en fut quitte pour la peur.

Alors qu'elle se relevait en se frottant un peu les genoux, elle entendit une voix qui lui parut familière. Tommy était derrière elle, suivi du sempiternel Cass. — Salut, Carte Postale! T'es allée faire une petite visite au magasin de timbres, hein?

Les yeux de Nancy lancèrent des éclairs. — Ce n'est pas de tes affaires, Monsieur le beau farceur. Tu devrais avoir honte. — Moi, honte? Pourquoi? demanda Tommy, l'air innocent. — Tu le sais très bien! Tu as pris à Ralph un timbre d'une très grande valeur.

Tommy changea de couleur. Il eut soudain l'air très repentant... Ou jouait-il encore la comédie? — Ouais, le «Bluenose». J'en suis vraiment très désolé.

Nancy ne fut pas dupe. Elle railla:

— Oh, vraiment, Monsieur le farceur!
— Je t'assure. En fait, je t'ai même rapporté l'argent.

Il tira de sa poche une épaisse enveloppe blanche.

«Qu'est-ce qu'il raconte encore?» pensa Nancy. — Quel argent? demanda-t-elle. — L'argent que j'ai reçu pour le timbre, bien sûr, dit Tommy en lui tendant l'enveloppe. — Tout est là, tu peux compter.

Nancy n'en croyait pas ses yeux. C'était bien la dernière chose qu'elle attendait du farceur. Devait-elle vraiment compter l'argent? Elle aurait l'air de ne pas lui faire confiance et d'ailleurs compter quoi? Puisqu'elle n'avait pas la moindre idée du montant que devait contenir l'enveloppe! En tout cas, l'enveloppe avait l'air épaisse. — Tu vois? dit Tommy avec le plus beau de ses sourires, je ne suis pas si mauvais garçon qu'on le dit.

Nancy rougit. — Eh, dis donc, Carte Postale, il paraît que le gros Phil t'a donné un vieil album tout raccorni. C'est ça que tu as dans ton sac? Je peux jeter un coup d'œil? — Non, non, c'est pas l'album, protesta Nancy. — Voyons, juste un coup d'œil. Je pourrais t'aider, tu sais!

Nancy était plutôt abasourdie. Comment diable le farceur pouvait-il savoir ça? Lisait-il ses pensées? Elle sentait le regard perçant de Tommy fixé sur elle. Peut-être qu'il était hypnotiseur? Elle prit peur: — Non, je n'ai pas l'album. Excuse-moi, il faut que je m'en aille. — Eh, Carte Postale, insista Tommy. Je viens pas tout juste de te prouver que tu pouvais me faire confiance? Je te demande juste un petit coup d'œil.

Nancy allait de nouveau protester, mais avant même qu'elle ait pu ouvrir la bouche, Tommy avait soutiré l'album du sac. — Eh, rends-moi l'album, cria Nancy.

Mais trop tard. Tommy s'éloignait déjà avec Cass. Il cria par-dessus son épaule. — Ne t'inquiète pas. Je le garderai pas plus de quelques heures. Juste le temps de l'examiner. Si je trouve quelque chose de valable, je t'avertirai. Tu peux te fier à moi!

Cass eut un gros rire niais. — Tu peux le croire, Nancy, il fait pas de farce!...

Impuissante, les larmes aux yeux, Nancy les regarda filer pendant un long moment.

Elle reprit son vélo.

Albert l'attendait impatiemment lorsqu'elle arriva à la maison quelques minutes plus tard.

Ralph se jeta pratiquement sur elle. — Nancy! On a trouvé! On a découvert le secret. Donne-moi vite l'album.

Paniquée, Nancy essaya de gagner du temps. — Vous savez où Charles a caché ses timbres? — Oui, cria Ralph, donne-moi l'album, je vais te montrer.

Albert avait noté le visage angoissé de Nancy. Inquiet, il demanda: — Tu as l'album au moins?

Nancy rit nerveusement. — Vous ne trouvez pas qu'aller de l'autre côté du monde serait un peu trop long avant le déjeuner? — Ça y est, murmura Albert, elle a laissé l'album au magasin. — Non, je l'ai pas laissé, protesta Nancy.

Ralph tirait sur le sac de Nancy. — Donne, Nancy, je vais te montrer. On n'a même pas besoin d'aller nulle part. L'autre côté du monde est pas plus loin que la couverture arrière de l'album!

Les yeux perçants d'Albert observaient Nancy à travers ses petites lunettes rondes. Son cerveau fonctionnait à toute vitesse. Il eut une intuition soudaine. — Tu n'aurais pas rencontré le farceur, par hasard?

Nancy rougit, baissa la tête. Ralph gela sur place: — T'as pas fait ça, Nancy? T'as pas donné l'album au farceur, hein? — Bien sûr que non, protesta la fillette, avec véhémence... En fait, euh... c'est lui qui l'a pris.

Ralph hurla littéralement. — T'as laissé Tommy prendre l'album après tout ce qu'il nous a fait? — Ben, écoute, il a été vraiment gentil, et puis il m'a même rendu l'argent. — Quel argent? demanda Ralph. — L'argent qu'il a eu en vendant le timbre, dit Nancy en sortant la grosse enveloppe blanche de son sac.

Albert bondit sur l'enveloppe et l'ouvrit d'un coup sec. Il eut le petit sourire satisfait de celui qui a vu juste... comme toujours. — C'est bien ce que je pensais. C'est de l'argent de Monopoly!

De grosses larmes coulèrent sur les joues de Nancy.

À cet instant précis, Monsieur Lambert fit son apparition. — Ça va, les enfants? dit-il en jetant un regard perplexe sur son fils. — Oui, oui, papa. Merci, papa, dit Ralph rapidement.

Pierre Lambert s'éloigna. Les trois enfants se précipitèrent dans l'abri de jardin et aussitôt les garçons recommencèrent à tomber sur le dos de la pauvre Nancy. — Comment t'as pu être aussi stupide, Nancy? — Oui, pourquoi tu nous as pas téléphoné avant de faire une bêtise?

Nancy commençait à en avoir assez. Ça valait bien la peine qu'elle se donne tout ce mal pour aider Ralph. Elle s'exclama: — Et vous deux? Tommy ne vous a pas eu aussi tous les deux? Hein?

Ralph se calma instantanément. — Elle a raison, Albert... On n'a pas été plus brillants qu'elle, nous deux...

Albert fit une moue offensée.

* * *

Les enfants en étaient là de leurs réflexions lorsque la porte de la cabane s'ouvrit lentement. Trois frimousses étonnées se tournèrent vers la porte. C'était Pierre qui, le regard sévère, s'adressa à son fils: — Ralph, je peux te voir dans mon bureau un instant, s'il te plaît? — J'arrive dans une seconde, dit Ralph, pas très rassuré. — Non, coupa la voix sèche de son père, IMMÉDIATEMENT!

Ralph sut tout de suite ce qui l'attendait. Aucun doute possible. Aucun espoir. Il sortit, tête basse.

Son père l'avait précédé dans le bureau. En entrant, Ralph vit aussitôt le grand album ouvert. Son père pointait la page du doigt en regardant Ralph droit dans les yeux. — Ralph, il y avait ici une petite enveloppe avec un timbre du «Bluenose» dedans. Serais-tu, par hasard, responsable de sa disparition?

Ralph arriva à peine à bégayer: — Oui... oui, papa.

Son père le regarda fixement pendant une longue seconde. Sa voix resta calme et mesurée: — Je t'ai pourtant toujours fait confiance, Ralph, n'est-ce pas? — Ou... oui, papa, murmura Ralph en baissant la tête. — Je ne comprends pas que tu aies pu faire une chose pareille. Sais-tu quel timbre c'était?

Ralph se tenait le plus près possible de la porte. Il n'avait pas levé les yeux une seule fois et se tortillait les mains. Sa voix était à peine audible: — Je le sais maintenant. C'était «l'Homme sur le mât»... — Où est ce timbre? demanda son père d'une voix sévère.

— Je ne le sais pas, murmura Ralph.

Un silence de plomb tomba dans la pièce. De grosses larmes roulaient sur les joues pâles de Ralph. Monsieur Lambert referma son album et le plaça sur l'étagère. Puis, un à un, il prit les albums de Ralph sur une autre étagère et vint vers son fils: — Tiens! Je ne veux plus te voir dans cette pièce, c'est clair? Prends ta collection et va-t'en dans ta chambre. Tu n'as plus rien à faire ici.

Pour la première fois, Ralph osa lever les yeux sur son père. — Papa, attends... je pense que j'ai trouvé quelque chose de... mieux encore, implora-t-il.

Mais son père n'écoutait même pas. Il pointait la porte du doigt: — Ne remets plus les pieds dans cette pièce, compris?

Ralph pleurait à chaudes larmes. Ne plus pouvoir venir dans cette pièce... ne plus pouvoir partager avec son père le plaisir de collectionner les timbres était la pire punition qu'il pouvait imaginer.

Ralph serra sa pauvre petite collection contre lui et sortit en pleurant. Il se précipita dans sa chambre. Son père soupira en le regardant sortir. Il avait l'air aussi triste que son fils.

Quelques minutes plus tard, sa mère frappa doucement à la porte. Ralph ne bougea pas. – Ralph, tu es là?

Silence. Madame Lambert attendit quelques secondes, puis: – Écoute, Ralph. Ton père dit que tu peux quand même partir en excursion avec ton oncle demain...

Cette nouvelle fut presque un soulagement. Au moins, il n'aurait pas à faire face à son père pendant quelques jours. Tous ses efforts pour retrouver le timbre perdu avaient été vains et Ralph était profondément malheureux. Toujours en pleurant, il commença à mettre dans son sac les effets dont il aurait besoin pour la durée de l'excursion.

Soudain, un petit caillou frappa la vitre de sa fenêtre. Il vint lentement à la fenêtre et aperçut Nancy qui agitait une feuille de papier en lui faisant de grands signes. Elle prononçait des mots qu'il ne comprenait pas. «Le truc dans la couverture arrière était fantastique»?... «Aller la rejoindre lorsqu'il ferait noir»? ou quelque chose comme ça. Ralph était perplexe. Il revint à son sac de voyage.

* * *

Ce que Ralph ne pouvait pas savoir, c'est que Nancy avait eu une idée de génie. Elle en avait assez de se faire narguer par le farceur. L'histoire de l'album était la goutte qui avait fait déborder le vase. Elle allait récupérer cet album, coûte que coûte! Et sans l'aide d'Albert, ni de personne d'autre.

Elle sortit de la cabane en courant, sans la moindre explication. Après un bref arrêt à la cuisine pour ramasser quelques objets mystérieux, elle sauta sur sa bicyclette et partit en direction de l'appartement de Tommy.

Il venait de s'installer pour examiner l'album lorsqu'on sonna à la porte. Il eut un geste agacé lorsque sa sœur Tina l'appela: — Tommy, c'est pour toi!

Il vint lentement à la porte, tenant toujours l'album dans sa main. Ce qu'il vit lui coupa le souffle. Carte Postale se tenait là, devant lui, attifée de la plus étrange façon. Elle portait un masque sur sa bouche et tenait un grand sac vert à déchets. Elle était hors d'haleine. — Excuse-moi, Tommy. J'ai fait une chose terrible. Cet affreux album est contaminé, une épouvantable maladie! Il a l'ANTHRAXE. Vite, mets-le dans le sac et cours vite te laver le visage, les mains. En fait, ça serait encore mieux que tu prennes une bonne douche!

Les paroles étaient sorties si vite de la bouche de Nancy que Tommy resta figé sur place.

Sa petite sœur Tina avait l'air terrifiée. — C'est quoi l'ANTHRAXE? — Je n'en ai aucune idée, dit Nancy en attrapant l'album. Je sais seulement que c'est terriblement dangereux...

Elle lança l'album dans le sac et tourna les talons en criant: — Désolée, Tommy. Je te promets que je ne ferai jamais plus une erreur semblable. C'est juré!

Nancy avait dévalé l'escalier avant que Tommy ait pu reprendre ses esprits. Quelques minutes plus tard, elle entrait triomphante dans la cabane en brandissant l'album.

Même Albert dut s'incliner devant l'idée géniale de Nancy.

C'est alors qu'elle avait couru lancer le petit caillou dans la fenêtre de Ralph...

* * *

Le calme s'était un peu rétabli dans la tête de Ralph lorsqu'il rejoignit sa sœur et Albert au jardin. Nancy avait sorti une autre vieille lettre de la couverture arrière de l'album et tentait d'en déchiffrer l'écriture à la lueur d'une bougie. Albert s'installa sur un coussin et attendit. — «Dear reader»... «Cher lecteur», commença Nancy, en traduisant la lettre anglaise de Charles, «vous êtes très intelligent, mais quand je parlais de l'autre côté du monde, je voulais bien dire l'autre côté du monde. En 1929, j'ai caché mes meilleurs timbres dans un album identique à celui-ci. Il est au magasin de timbres et monnaies, à Sidney, 10 rue Evans, Sidney, en Australie.»

Ralph eut un hoquet de surprise. Il arracha la lettre des mains de Nancy. Il voulait voir ça de ses propres yeux. — Comment a-t-il pu cacher ses timbres de l'autre côté du monde? — À onze ans? s'étonna de nouveau Albert.

Ralph continua la lecture: — «Comment suis-je arrivé de l'autre côté du monde? C'est mon secret. Et pourquoi je vous dis mon secret? C'est peut-être parce que je ne suis jamais ressorti de l'un de mes timbres...»

Ralph osait à peine poursuivre. «Maybe I'm dead», lut-il à voix basse. Vous entendez ça? Charles est peut-être mort! — Pauvre Charles, soupira Nancy.

À son tour, Albert prit la lettre des mains de Ralph. Il lut: — «Et voici mon secret: si vous prononcez la formule magique, vous deviendrez si minuscule que vous pourrez voyager sur un timbre, n'importe où dans le monde, tout comme je l'ai fait.»

Les trois enfants échangèrent des regards ahuris. Était-ce possible? Voyager n'importe où au monde grâce à un seul petit timbre? C'était mirobolant! Soudain, le bruit sec d'une branche qui craque leur fit lever la tête. — C'était quoi ça? demanda Ralph, inquiet.

Il y avait quelqu'un à l'extérieur de la cabane. Peut-être le fantôme de Charles qui revenait les hanter? Ils tendirent l'oreille encore un moment. Plus rien... Ralph reprit la lecture: — «Vous serez plus petit qu'un hanneton et vous risquerez d'être écrasé par les pieds d'étrangers. On voudra vous aider, mais vous repousserez les mains qui vous aiment.» — Qu'est-ce que ça veut dire? demanda Nancy, effrayée. «Repousser les mains qui vous aiment»? — Oui, ça me paraît étrange ça, dit le rationnel Albert.

Ralph regardait la flamme d'une bougie, songeur. Albert prit la lettre des mains de Ralph. — Écoutez, il y a une formule magique aussi. Il dit que chaque mot doit être prononcé correctement et dans le bon ordre, sinon on ne peut pas voyager... — Ça me paraît plutôt dangereux, cette histoire-là, dit Nancy. — Oui, ça l'est sûrement, murmura Ralph en contemplant toujours la flamme vacillante de la bougie.

Il sembla prendre une résolution soudainement. Sa voix s'affermit:

— Mais moi, je veux essayer. Je vais aller en Australie. Je trouverai le trésor de Charles et je l'offrirai à mon père.

Les deux autres le regardèrent avec admiration. Quel courage!

Peut-être que Ralph aurait été un peu moins courageux s'il avait su ce qui était en train de se passer dans le jardin.

Tommy, car c'était bien lui, s'éloignait à pas de loup de la petite fenêtre d'où il avait espionné nos amis. Il s'arrêta sous un lampadaire de la rue et, utilisant le dos de Cass comme écritoire, il prit des notes sur un bout de papier: «M. Pascoe, 10 rue Evans, Sidney, Australie». Satisfait, il permit enfin à Cass de se relever puis s'exclama: — Mon cher Cass, je crois que ces trois-là sont sur un coup important. Au moins, j'ai l'adresse. Il ne me manque plus que la formule magique. Allez, arrive, on s'en va!

Ignorant que leur secret n'en était déjà plus un, les trois enfants se mirent au lit pour une longue nuit de rêve...

* * *

Le lendemain matin, ils furent debout avant l'aube. Il avait été convenu que Ralph commencerait son voyage sur un timbre à cinq mètres de la plus vieille boîte postale en ville. Ralph était déjà prêt, grâce aux bagages qu'il avait préparés pour l'excursion avec son oncle. Tout ça conviendrait très bien pour un saut en Australie.

Ils montèrent tous les trois dans un autobus qui les amena au centre-ville. Toujours aussi méthodique et consciencieux, Albert récapitula les instructions: — «Premièrement, pour y voyager, le timbre doit avoir l'espace nécessaire pour accueillir le passager qui désire partir.»

Ralph avait déjà préparé l'enveloppe. Dans le coin droit de l'enveloppe, il avait collé le timbre normal pour l'Australie, puis dans le coin gauche, il avait apposé un vieux timbre sur lequel il y avait un policier à cheval. C'était un timbre de la même période que celle du «Bluenose». — Vous voyez? Je vais voyager à cheval derrière lui!

Nancy qui, à ce moment-là, regardait par la fenêtre, s'exclama: — Eh, regardez, c'est Connie avec une autre de ses inventions!

Connie roulait sur le trottoir, presque aussi vite que l'autobus. Cette fois, sa planche n'avait pas de voile, mais il était resté dans le même esprit marin. Il l'avait déguisé en aquaplane avec une barre transversale pour s'y accrocher. Il filait comme le vent.

Agacé par l'interruption, Albert ramena ses copains sur terre, si on peut dire.

Il reprit les instructions: — Deuxièmement, tu es obligé de demeurer sur la lettre jusqu'à ce que tu arrives à la bonne adresse. À ce moment-là seulement, tu pourras retrouver ta taille normale. Du moins, je l'espère...

Nancy s'exclama soudain: – Oui, mais papa et maman dans tout ça? Ils vont être morts d'inquiétude!

Ralph la rassura: – Mais non, tu sais bien. Je devais partir en excursion ce matin avec oncle Jean. Maman croit que je suis déjà parti le rejoindre. Et moi, j'ai appelé oncle Jean pour lui dire que j'étais malade... alors, il ne m'attend pas. Ça me donne dix jours pour faire le voyage en Australie.

Nancy n'eut pas l'air rassurée pour autant. Mais l'exclamation d'Albert vint la distraire de ses sombres pensées: – Ça y est! C'est notre arrêt! Tout le monde descend!

Tout à leur excitation, nos trois amis ne s'aperçurent pas qu'un passager, hélas trop familier, venait d'entrer dans l'autobus par la porte avant. C'était Tommy. Malheureusement, la porte avant s'était ouverte avant la porte arrière et Tommy eut le temps d'apercevoir Albert et ses amis qui attendaient sur la marche. Il cria, en tentant de se frayer un chemin vers l'arrière. – Ah, enfin, je vous retrouve, vous autres!

Mais avant qu'il ait pu les rejoindre,

la porte s'était ouverte puis refermée, libérant nos trois amis de leur poursuivant. Ils avaient sauté sur le trottoir juste à temps. — Ouf ! s'exclama Albert en s'essuyant le front, on l'a échappé belle. Il est pris dans l'autobus.

Tommy faisait de grands signes de la main par la fenêtre. Les enfants crurent qu'il s'adressait à eux, évidemment, et ils furent pris d'un grand fou rire devant l'impuissance de Tommy... Mais les signes ne leur étaient pas destinés. Tommy s'adressait à Cass qui était resté plus loin sur le trottoir.

C'est Albert qui le repéra le premier. — Regardez! C'est Cass, dit-il en rajustant ses lunettes. C'est pas le moment de poster une lettre en Australie. Filons!

Ça tombait bien. Quel meilleur endroit pour semer un espion qu'un grand centre commercial achalandé? Les enfants se ruèrent vers les portes tournantes et se retrouvèrent presque dans les jambes d'un employé qui lavait le superbe parquet de marbre à grande eau. Glissant, patinant, dérapant, ils se précipitèrent vers l'escalier roulant! Et tout ça au son de la musique, car justement, un étage plus bas, leur camarade de classe Rufus était en train de donner un mini concert... un premier pas vers la célébrité. Mais pour l'instant, le seul élément qui le rapprochait du statut de «star» était ses grosses lunettes noires à la Hollywood. D'ailleurs, nos amis n'eurent pas le temps de contempler le succès possible de Rufus, car Cass venait de passer les portes tournantes à son tour et s'élançait à leur poursuite. Heureusement pour nos héros, il ne fit pas attention au parquet frais lavé et exécuta un spectaculaire plongeon, la tête la première. Juste assez pour donner une longueur d'avance à nos amis.

Toujours au pas de course, ils se retrouvèrent à la croisée de deux longs couloirs. D'instinct, ils se séparèrent. Gardien de la précieuse formule magique qu'il serrait sur son cœur, Albert prit vers la droite, alors que Ralph et Nancy empruntèrent le couloir de gauche.

Cass, qui s'était relevé tant bien que mal, essuyait son pantalon mouillé tout en reprenant sa course. Mais à sa grande horreur, il vit de loin le trio qui se séparait dans deux directions opposées. Que faire? Sans Tommy pour lui donner des instructions, Cass était perplexe. Il fit un ultime effort de réflexion, puis tenta de convaincre les coureurs. Il cria: — Eh, les gars. Pourquoi vous refusez de partager votre découverte?

Devant le peu d'intérêt que sa question avait suscité, Cass décida enfin d'emboîter le pas à Albert, qui lui semblait être le chef de file. Il reprit donc sa course.

Albert sentit la menace en jetant un bref coup d'œil par-dessus son épaule. Hélas, une jeune femme avait temporairement installé son chariot à fromages dans le chemin d'Albert. Un joli chariot, d'ailleurs, recouvert d'une longue nappe à carreaux bleus et blancs. Même si les yeux d'Albert avaient repris leur place normale derrière ses lunettes, il n'eut pas le temps de freiner. Il fonça en plein dans le chariot qui, malheureusement, était sur roues.

La pauvre dame hurla de frayeur. Toujours correct et bien élevé, Albert s'empressa de s'excuser: — Oh, je suis terriblement désolé, mais vous comprenez, je suis le gardien d'une information super secrète et on me poursuit.

Même le super poli Albert se rendit compte que l'heure n'était pas aux discours. Cass était toujours derrière lui. Il décida qu'il n'avait plus le temps de fuir, il valait mieux qu'il se cache. Mais où? Le seul endroit à sa disposition était justement sous la nappe à carreaux. Il y plongea donc pour découvrir qu'une accueillante tablette s'y trouvait comme par hasard. Malheureusement, ses jambes étaient un peu longues et Cass aperçut deux semelles qu'il crut reconnaître. Il se précipita donc sur le chariot. Ce qu'Albert sentit aussitôt. En désespoir de cause, il donna au chariot une vigoureuse poussée avec ses mains et le véhicule s'ébranla.

Aussitôt, Cass prit une autre malencontreuse décision. Il saisit la nappe à deux mains, croyant retenir le chariot, et il tira un bon coup. Vous devinez sans peine ce qui arriva. Ce fut une belle volée de fromages, de raisins verts, rouges, bleus qui, suivant finalement la loi de la gravité, retombèrent pêle-mêle sur le parquet frais lavé. La foudre de la jeune dame retomba sur les épaules de Cass, qui, sans l'aide de Tommy, ne savait plus du tout s'il devait rester ou partir. Ce ne fut pas le cas d'Albert. Il profita de la confusion pour donner à son chariot roulant une magistrale poussée vers l'avant. Hélas, trois fois hélas! Dans sa hâte, Albert n'avait pas vu qu'il filait droit sur un long escalier mobile qui descendait vers la scène où chantait Rufus.

Albert émit trois petits cris de frayeur et tenta désespérément de freiner, mais en vain. Le chariot s'engagea dans l'escalier. Rufus leva les yeux, aperçut l'étrange tête qui dépassait de l'étrange véhicule et en perdit ses mots et ses notes. Assez pour retarder sa gloire d'une bonne année!

Pendant ce temps, Ralph et Nancy avaient atteint le bas de l'escalier par un autre chemin. En même temps que Rufus, ils avaient repéré l'équipage insolite qui bondissait vers le bas, marche par marche. Ils crièrent d'une seule et même voix: «H–E–A–V–Y»!!! Heureusement, Albert descendait dans l'escalier roulant qui montait. Ça freinait au moins un peu sa descente. Nancy mit ses deux mains sur ses yeux pour ne pas être témoin de l'atterrissage d'Albert. Mais tout compte fait, et compte tenu des circonstances, l'arrivée se fit plutôt en douceur.

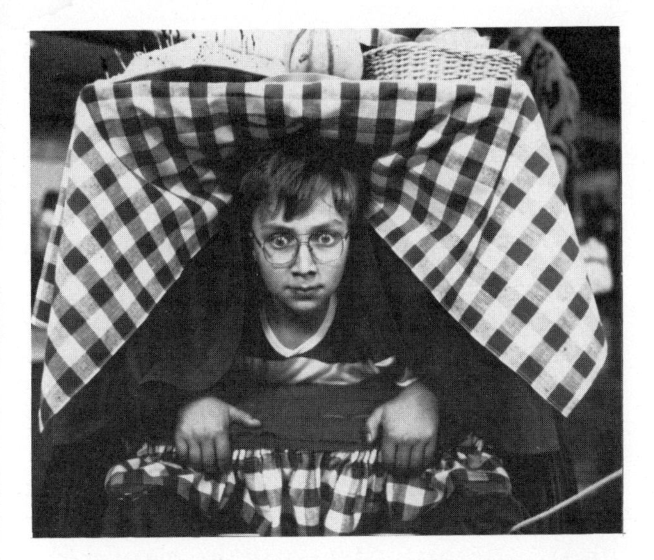

Hélas, le grand dégingandé de Cass s'était enfin réveillé. Il s'était lui aussi engagé en sens inverse dans l'escalier qui montait. Ralph l'aperçut au moment où la tête d'Albert émergeait du chariot, les lunettes de travers. Il saisit le précieux document des mains d'Albert et repartit à la course, suivi de Nancy. Cette fois, pas de chariot dans leur chemin mais un gros siège, haut sur pattes, sur lequel était installé un non moins gros monsieur. Il lisait paisiblement son journal, comme s'il avait toute la vie devant lui pour exercer cette importante activité. Petit chapeau blanc de pêcheur sur la tête, lunettes dorées retenues par une chaînette, barbe poivre et sel que dissimulait un peu la fumée de son cigare, le gros monsieur lisait donc, pendant qu'à ses pieds un autre monsieur s'affairait à dépoussiérer et vernir ses souliers qui avaient beaucoup voyagé.

Avec Cass à leur trousse, Ralph et Nancy aperçurent donc le haut fauteuil comme une planche de salut. Ils coururent se réfugier derrière. Ils réalisèrent rapidement que, tout comme le chariot à fromages, le fauteuil était sur roulettes. Cass approchait. Il faut dire que le cireur de chaussures ne voyait pas d'un très bon œil que des gamins courent autour de lui. Il brandit sa brosse et tenta d'éloigner les enfants. — Ouste, ouste! Allez jouer ailleurs!

Le gros monsieur dont l'attention avait été attirée par le brouhaha, et au demeurant agacé d'être dérangé dans sa lecture, leva distraitement les yeux de son journal. Puis ses sourcils se levèrent également lorsqu'il sentit qu'une certaine vibration animait son fauteuil.

En effet, Cass était là aussi et contournait maintenant le fauteuil pour attraper Ralph. Pour protéger son frère, Nancy eut une idée de génie. Elle imprima au fauteuil une violente poussée en direction de Cass.

Pour une fois, Cass eut le bon réflexe. Il recula. Mais le fauteuil n'arrêta pas son élan pour autant. Le journal du gros monsieur vola dans les airs, alors que ce dernier s'accrochait désespérément aux bras du fauteuil en mouvement.

Puis tout se passa très rapidement. Le fauteuil fila en droite ligne vers un bassin au milieu duquel trônait une fontaine. Le monsieur eut à peine le temps d'ouvrir la bouche que la roue avant du fauteuil frappait le rebord marbré du bassin, et c'est la tête la première qu'il fit son entrée dans l'eau. On aurait dit une baleine qui soufflait dans une baignoire. Même la guitare et les lunettes noires de Rufus, à cinq mètres de là, reçurent des gouttelettes.

Malgré l'angoisse que ressentit Nancy à la vue de l'époustouflant spectacle, elle suivit Ralph et Albert vers la porte de sortie. Elle se consola en se disant qu'au moins, le précieux document était sauf. C'est en courant toujours que nos amis revinrent vers l'endroit précis où Ralph devait amorcer son voyage sur le timbre.

Chapitre 5

Le voyage sur le timbre

Le square d'où devait partir Ralph était un lieu fort achalandé. Mais ce n'était pas la raison principale pour laquelle ils étaient venus là. C'est qu'au centre du square, près du kiosque de la marchande de fleurs, une magnifique vieille boîte aux lettres rouge occupait une place de choix.

Dès qu'ils y furent, Albert prit la direction des opérations. Il avait retrouvé sa dignité après son aventure dans l'escalier mobile et bien replacé ses lunettes. Il se planta donc dos à la boîte rouge et marcha dix pas dans la direction qu'il espérait être la bonne. Puis il s'arrêta et pointa le pavé d'un [illegible] — C'est ici, c'est

[illegible] demanda bien un peu [illegible]l pouvait en être si sûr, [illegible] ne posa pas la question. [illegible]se contenta de jeter un regard dé[illegible]té sur le pavé que les pigeons ne s'étaient pas gênés pour maculer. Il tomba dans un silence profond. Commençait-il à se demander s'il avait pris la bonne décision?

Albert sortit de sa poche le précieux document et le tendit à Ralph. Il le repoussa de la main. Pas besoin, il savait la formule par cœur. — Le moment est arrivé, dit-il en ne s'adressant à personne en particulier. J'ai dit que j'irais et j'y vais.

Il rajusta son sac à dos et serra la main d'Albert. Il embrassa Nancy et dit sans la regarder: — Tu sais, il est possible que nous ne nous revoyons plus jamais...

Nancy sortit soudain de sa torpeur. Elle poussa un cri: — N'y va pas, Ralph, je t'en supplie!

Devant l'air déterminé de son frère, elle ajouta: — ... au moins, poste-toi ici, en ville, pour faire un premier essai!

Ralph secoua la tête. — Non, je n'ai

Ralph n'eut pas le temps de terminer sa phrase. Un tourbillon lumineux était sorti du timbre et l'entourait avec toute la force d'une tornade. Il se sentit soulevé de terre. Ses bras, ses jambes se transformaient sous ses propres yeux, comme s'il avait été un dessin animé.

Albert et Nancy ne savaient plus s'ils devaient s'émerveiller ou hurler d'horreur. Ils le virent rapetisser, rapetisser. C'est à peine s'ils purent encore le distinguer lorsqu'il retomba sur le timbre, exactement là où il devait être; assis à cheval derrière le policier.

Excité, Albert sautait sur place. Il cria: — Ça marche! Vas-y, Ralph, l'Australie t'appartient!

Tout ce qu'il leur restait à faire était de ramasser l'enveloppe et de la déposer dans la vieille boîte aux lettres rouge. Rien de plus simple...

* * *

Albert et Nancy tendirent la main en même temps vers l'enveloppe. Mais, oh mystère, une terrible force les repoussait vers l'arrière. Plus ils tentaient d'atteindre l'enveloppe, plus cette force les repoussait. — Qu'est-ce qui se passe? cria Albert, je ne peux pas toucher l'enveloppe. — Moi non plus, répliqua Nancy.

Tout à coup, la lumière se fit dans l'esprit d'Albert. Un peu tard, mais maintenant il comprenait cette mystérieuse phrase de la lettre. Il s'écria: — Ah, mon Dieu! «Vous repousserez les mains qui vous aiment!» Nancy, c'est nous les mains qui l'aiment! Comment ai-je pu être aussi stupide?

Nancy se pencha vers l'enveloppe.

— Ralph, est-ce que tu m'entends? Nous sommes «les mains qui t'aiment», nous ne pouvons pas t'aider.

Peut-être malheureusement pour lui, Ralph pouvait très bien les entendre en effet. Il les pria avec une voix toute menue: — Essayez encore, je vous en supplie.

Mais sa petite voix ne pouvait atteindre les oreilles de Nancy et d'Albert, que la mystérieuse force repoussait de plus en plus loin de Ralph.

Perché sur un cheval rose, derrière un policier rose, Ralph était immobilisé sur son timbre et regardait avec effroi la multitude de pieds qui déambulaient autour de lui. Tout à coup, il aperçut l'homme-orchestre qui venait dans sa direction. Il eut un cri d'horreur. S'il fallait que le bonhomme choisisse précisément de se mettre à danser en rond sur le timbre! Sûrement, le pauvre petit Ralph allait être écrasé, écorché, écrabouillé. Il cria «au secours»! Mais hélas, personne ne pouvait l'entendre. C'était ça le voyage sur un timbre? Si Ralph avait su!...

Soudain, quelqu'un s'arrêta près de la grande enveloppe blanche. Ralph entendit une voix qui disait: «Dépêche-toi, Gloria, nous allons être en retard chez le dentiste. Mais la petite ombre qui lui bloquait les rayons du soleil restait là. Ralph leva les yeux, un brin d'espoir au cœur. Une petite fille de six ans, toute de blanc vêtue, se pencha vers lui. Elle ramassa l'enveloppe, la serra contre elle. Ralph en eut le souffle coupé. Puis il vit deux immenses yeux clairs qui le regardaient attentivement, deux énormes lèvres roses qui s'ouvraient. Il entendit une voix qui lui sembla aussi forte qu'un roulement de tonnerre: — Allô, petit garçon, disait la fillette. Qu'est-ce que tu fais là? Est-ce que tu peux parler?

Ralph s'empressa de répondre: — Bien sûr je peux... Vite, mets-moi à la poste s'il te plaît.

La petite fille eut un joli rire cristallin. Non pas qu'elle pouvait entendre Ralph, mais elle trouvait très amusant de voir un tout petit bonhomme grimpé sur un cheval rose. Sa mère l'appela encore une fois et Ralph eut un pincement au cœur.

De loin, Albert et Nancy avaient vu la petite fille qui ramassait Ralph. «Petite fille», pria Nancy, «mets Ralph à la poste, s'il te plaît!».

Aussitôt, comme si elle avait répondu à la prière de Nancy, la petite se dirigea tout droit vers la vieille boîte aux lettres rouge.

Hélas, la fillette était petite et la boîte était haute, elle ne pouvait atteindre l'ouverture. Elle se tourna vers sa mère qui était déjà quelques mètres plus loin. — Maman, aide-moi!

Mais avant que sa mère ait pu revenir sur ses pas, un homme s'approcha d'elle: — Allô, petite. T'as un problème?

Il déplut aussitôt à Gloria. — Non, protesta Gloria en cachant la lettre derrière son dos. Je veux seulement poster ma lettre. — Fais voir, insista l'homme en étirant le bras derrière Gloria.

Albert et Nancy, qui avaient observé la scène de loin, se regardèrent, consternés. — D'où est-ce qu'il sort, celui-là? s'exclama Albert.

L'homme avait pris la lettre des mains de Gloria. — Tu n'es pas un peu jeune pour écrire en Australie? — Viens, dépêche-toi, Gloria, criait sa mère qui revenait sur ses pas. — C'est à toi cette lettre-là? demanda l'homme. — Non, je l'ai trouvée par terre et je veux la poster, insista Gloria. — Ah, tu l'as trouvée, dit l'homme en glissant l'enveloppe dans sa poche. Je vais m'en occuper, t'inquiète pas.

La fillette était furieuse. Juste au moment où sa mère la prenait par la main, elle assena un violent coup de pied sur le tibia gauche du vilain monsieur. — Gloria! cria sa mère, pourquoi t'as fait ça?... Je suis désolée, Monsieur, la petite est nerveuse quand elle va chez le dentiste.

Gloria essaya de protester, mais sa mère n'était pas du tout disposée à l'écouter. Elle l'entraîna le plus loin possible, le plus vite possible.

L'homme n'attendit pas longtemps lui non plus. Il se releva en se frottant le tibia et courut attraper l'autobus qui venait de s'arrêter au coin de la rue.

Tout s'était déroulé si vite que Nancy et Albert n'avaient pas eu le temps de réagir. Dès qu'ils virent l'homme courir vers l'autobus, ils s'élancèrent à sa poursuite. Mais trop tard, la porte se referma à leur nez. Ils suivirent l'autobus à la course. Heureusement, la circulation était dense et il roulait lentement.

Ils ne pouvaient pas savoir évidemment que le vilain monsieur avait sorti l'enveloppe de sa poche avec un mauvais sourire. «Ce serait bien ma chance d'y trouver un chèque», se dit-il en déchirant l'enveloppe d'un coup sec. Il sortit le bout de papier qui s'y trouvait. «Dear stamp shop, I've come in person for something which was left in your safekeeping, long, long ago.», lut-il à voix basse. Il n'y comprit rien du tout!

Déçu, furieux, il froissa l'enveloppe et la lança par la fenêtre.

Ralph eut la pénible impression d'avoir été happé par un puissant tourbillon qui ressemblait fort à une tornade. Il vit les immeubles qui volaient autour de lui comme s'ils étaient faits de papier mâché. Il ferma les yeux, mit ses mains minuscules sur ses petites oreilles et faillit tomber du cheval rose. Il se recroquevilla le plus possible pour atténuer le choc lorsque l'enveloppe retomba sur le trottoir. Ouf, il avait bien prévu que voyager sur un timbre n'allait pas être de tout repos, mais à ce point-là!

Pendant ce temps, l'autobus avait distancé Albert et Nancy. Ils s'arrêtèrent à bout de souffle au coin de rue suivant. Nancy était exténuée et une immense tristesse l'envahit lorsqu'elle vit l'autobus disparaître au loin. Avait-elle perdu Ralph pour toujours? Elle ne remarqua pas qu'un jeune garçon qui venait à sa rencontre s'amusait à donner de grands coups de pied sur un morceau de papier chiffonné qui roulait devant lui sur le trottoir. Un dernier coup envoya la boule choir aux pieds de Nancy.

Elle n'entendit pas non plus la voix lointaine qui l'appelait. C'était Ralph qui, lui, l'avait aussitôt repérée. — Nancy, Nancy, je suis là, à côté de toi!

Nancy ne baissa même pas les yeux. Elle attendait patiemment qu'Albert reprenne son souffle et la rejoigne. Elle ne réagit pas non plus lorsqu'une vieille dame se pencha pour ramasser la boule de papier aux pieds de Nancy. — Je déteste les gens qui jettent leurs déchets par terre, pas vous? demanda-t-elle à Nancy, en lançant Ralph dans une poubelle au bord du trottoir. — Je ne suis pas un déchet, hurla le pauvre Ralph en se retrouvant sur le tas de détritus.

Nancy se contenta de hausser les épaules. D'autant plus qu'elle venait d'entendre derrière elle une voix qu'elle reconnaissait, hélas, trop bien.
— Salut, Carte Postale, où est passé ton frère?

Brandissant un sac de papier au bout de son bras, Tommy s'était approché de Nancy. Il n'avait pas remarqué qu'un vieil ivrogne le suivait en titubant. Nancy se retourna brusquement: — Va-t'en! Laisse-moi tranquille. Tu me dégoûtes!

Tommy sourit, l'air moqueur. Il sortit quelque chose de son sac et le brandit sous le nez de Nancy: — Tu veux un sandwich? Ça sent mauvais, hein? C'est un sandwich aux sardines. Ma mère aime les sardines, elle me fait toujours des sandwichs comme ça.

Nancy détourna la tête. — Tu ne m'as pas dit où était ton frère, répéta Tommy en lançant le sandwich dans la poubelle.

Nancy lui jeta un regard scandalisé: — Ça te ressemble de jeter quelque chose que ta mère a fait spécialement pour toi.

Elle aurait été bien plus horrifiée

encore si elle avait su que l'huile de sardine était en train de couler partout sur le pauvre Ralph, prisonnier de son timbre.

Mais, derrière, un autre personnage n'était pas du tout d'accord avec Tommy. Lui, il adorait les sardines. Le vieil ivrogne, guidé par l'odeur, s'était approché de la poubelle. Il tendait la main vers le sandwich au moment où Nancy l'aperçut. Elle fit un signe de tête à Tommy en montrant l'homme:
— On dirait qu'il y a quelqu'un qui aime tes sandwichs!

Tommy suivit des yeux le geste de Nancy et aperçut le vieil ivrogne à son tour. Un immense dégoût se peignit sur son visage. — Je déteste voir ça, dit-il en détournant la tête.

Nancy insista: — Monsieur, ce garçon en a encore si vous en voulez...

L'ivrogne leva les yeux et regarda fixement Tommy. — T'en as encore? bredouilla-t-il en faisant un pas chancelant dans sa direction.

Tommy eut un violent mouvement de recul. Il regarda le vieux avec horreur et grinça entre ses dents: — Ne m'approchez pas! Allez-vous-en! Laissez-moi tranquille...

Albert arriva juste à ce moment-là.

Il ne prit pas le temps de réfléchir avant de dire à Tommy: — Il te rappelle ton père, c'est ça, hein?

C'était la deuxième fois qu'Albert lui faisait cette remarque. En voyant la rage de Tommy, il se rendit compte, un peu tard, qu'il était allé trop loin. Il tenta de s'excuser en reculant: — Je suis désolé, je ne voulais pas dire ça.

Mais Tommy s'était déjà précipité sur lui et Albert tentait désespérément de s'échapper. Les deux garçons roulèrent sur un terrain boueux et les coups pleuvaient sur la tête d'Albert, qui était bien trop occupé à protéger ses lunettes pour tenter de se défendre.

Nancy se précipita vers eux: — Arrête, Tommy! — Tu vas me payer ça, le gros, criait Tommy en redoublant de coups.

Nancy était affolée. Quoi faire pour arrêter Tommy? Elle aperçut l'ivrogne qui venait lentement vers eux. Elle le prit par la manche: — S'il vous plaît, Monsieur, arrêtez-les! Séparez-les!

Plein de bonne volonté, il s'approcha des garçons et attrapa Tommy par un bras. — Eh, le jeune, lâche-le, dit-il à Tommy. Arrête ça!

L'intervention de l'ivrogne eut l'effet d'une douche froide sur Tommy.

Il bondit sur ses pieds en hurlant:
— Ne me touchez pas! Je vous interdis de me toucher, compris?

D'un geste brusque, il arracha sa veste que l'ivrogne avait touchée, la lança sur le sol et partit en courant dans une étroite allée entre deux immeubles.

* * *

Nancy s'était vite rendu compte que la réaction de Tommy était tout à fait démesurée, anormale. Elle se rappela soudain les commentaires de Ralph sur la mère, les frères et les sœurs de Tommy, le pauvre appartement où ils vivaient. Elle se souvint aussi de vagues réflexions qu'elle avait entendues au sujet du père de Tommy. Elle fut prise de pitié pour lui et, à son propre étonnement, elle courut derrière lui dans l'allée. Albert n'en croyait pas ses yeux. Il était presque insulté. Il cria: — Nancy! Où est-ce que tu vas?

Mais elle avait déjà disparu.

Il faisait sombre dans l'allée. Elle appela Tommy. Pas de réponse. Elle continua de marcher lentement en regardant dans tous les coins et recoins.

Tommy s'était rendu en courant jusqu'au bout de l'allée pour découvrir qu'il n'y avait pas d'issue. Il était maintenant blotti dans l'ombre sur le seuil d'une vieille porte. De grosses larmes roulaient sur ses joues.

Il leva la tête lorsqu'il entendit des pas et la voix de Nancy qui l'appelait. Elle l'aperçut enfin. — Tommy, tu es là? Qu'est-ce qui t'arrive?

Il sécha rapidement ses larmes. — Rien! Laisse-moi tranquille.

Il ne voulait surtout pas que Nancy le voie pleurer. Elle se laissa glisser sur le sol à côté de lui et insista: — Réponds-moi. Qu'est-ce que tu as?

Il baissa la tête. — Je suis malheureux, finit-il par répondre. C'est tout. — C'est pour ça que tu t'es fâché si fort, tantôt? — C'est à cause de cet ivrogne, dit Tommy. Je le déteste. — Mais pourquoi? demanda Nancy, étonnée. Il ne t'a rien fait. — Parce que c'est mon père, murmura Tommy en évitant le regard de Nancy.

Nancy était pétrifiée. — C'est ton père? demanda-t-elle, incrédule. — Non, expliqua Tommy, mais c'est peut-être comme ça qu'il est devenu.

Nancy se sentit infiniment triste pour Tommy. Elle demanda doucement: — Tu aimerais ça retrouver ton père, hein?

Tommy fit signe que oui. — J'aimerais ça qu'il revienne. Il n'aurait jamais dû nous quitter.

Ce n'était plus le Tommy moqueur, arrogant qui parlait. C'était un pauvre petit garçon, seul et triste, dont Nancy avait pitié.

Elle lui toucha l'épaule. — Ça me fait de la peine pour toi.

Mais l'orgueil de Tommy refit surface. Il répéta, d'une voix plus douce: — Laisse-moi seul, s'il te plaît. — Ça va aller? demanda Nancy, inquiète. — Oui, oui. Merci, Carte Postale, ajouta Tommy avec un sourire triste.

Nancy lui fit un signe de la main et s'éloigna.

Tommy était resté accroupi au fond de sa cachette. Croyant que c'était Nancy qui marchait, il ne remarqua pas que d'autres pas hésitants résonnaient dans l'allée. Il leva brusquement la tête lorsqu'il entendit une voix: — Eh, regarde. J'ai trouvé ça pour toi.

À sa grande horreur, il vit l'ivrogne qui lui tendait quelque chose.

Il eut un mouvement de recul. —

Je ne veux rien. Allez-vous-en!

Mais le vieux insistait, sans pourtant oser s'approcher. Une vague odeur de sardine assaillit les narines de Tommy lorsque l'ivrogne déplia soigneusement une boule de papier froissé.

Sans trop s'en rendre compte, l'ivrogne avait senti l'aversion de Tommy... et puis, il était reconnaissant pour le sandwich. Voyant le petit timbre rose sur un coin de papier, il l'avait ramassé pour l'offrir au garçon. — Laissez-moi, hurla de nouveau Tommy.

Le vieux recula, mais non sans avoir placé, bien en évidence devant Tommy, l'enveloppe sur laquelle Ralph, dressé sur son cheval, se demandait ce qui était en train de lui arriver. — J'ai trouvé cette enveloppe avec un vieux timbre dessus. Peut-être que tu aimes les timbres? Je la pose là par terre, dit le vieux en se relevant tant bien que mal. Ne t'en fais pas, je m'en vais, je m'en vais...

Tommy ne leva pas la tête avant qu'il eut disparu. Puis, apercevant l'enveloppe, il étendit le bras malgré lui. Un peu de couleur réapparut à ses joues lorsqu'il aperçut le timbre. En fin connaisseur, il remarqua tout de suite la petite tache bizarre sur le cheval. — Ça ressemble étrangement à une erreur, murmura-t-il, ça pourrait valoir une fortune.

Il regarda de plus près, puis s'exclama: — Mais, on dirait Ralph... Ma foi, C'EST Ralph! dit-il en bondissant sur ses pieds. — Eh, Ralph, dit-il en riant. Tu t'es pas rendu très loin, il me semble. C'était pourtant la bonne adresse, ajouta-t-il en lisant sur l'enveloppe: 10, rue Evans, Sydney, Australie...

Tommy quitta la sombre allée en courant.

* * *

Ce soir-là, Nancy reçut un étrange coup de téléphone.

Une grosse voix disait: — Salut... j'ai ton frère.

Nancy bondit: — Qui est à l'appareil?

Elle entendit un éclat de rire et reconnut aussitôt la voix qui disait: — C'est moi, Carte Postale, Tommy. Et alors, Ralph voyage sur un timbre maintenant? C'est impressionnant... Et comme il a été très brave, j'ai décidé de l'aider à voyager. C'est pas gentil, ça?

Nancy sauta de joie. Tommy avait trouvé Ralph! Il allait l'aider! Elle se tourna vers sa copine Anna qui partageait sa passion des cartes postales et cria: — Il va poster Ralph!

Puis, elle revint au téléphone. — Il est où Ralph, maintenant? — Ne t'inquiète pas. Il est en sûreté, dit Tommy qui était étendu sur son lit et jouait machinalement avec une certaine carte postale qu'il avait dérobée à Nancy lors de sa fatidique visite à Ralph. — Il prend un bain, en ce moment...

Ralph trempait en effet dans une soucoupe d'eau sur le bureau de Tommy. Le timbre rose se décollait lentement de l'enveloppe souillée. Même s'il ne savait pas trop ce qui lui arrivait, Ralph trouvait que c'était quand même mieux que l'odeur de sardine. Quand même un peu inquiet, il percevait la voix de Tommy qui parlait en sourdine. Tout à coup, une véritable tempête s'éleva dans la soucoupe. L'eau jaillissait de toute part, un bruit énorme l'assourdissait, et il se sentit soulevé par une énorme vague. Un monstre marin l'attaquait.

Ralph ouvrit les yeux et aperçut deux rangées de dents féroces qui allaient se refermer sur lui. C'était Popsie, le chien de Tommy, qui lappait l'eau de la soucoupe à toute vitesse.

Tommy avait vu son chien et trouvait ça très amusant. Il expliqua à Nancy: — En fait, mon chien est en train de lui dire bonjour... Oups!

Tommy lâcha le téléphone. Il venait d'apercevoir Popsie qui avait fini de lapper l'eau et bondissait de la table. Ralph était resté collé à ses babines. Il s'élança dans l'appartement à la poursuite du chien. Il l'attrapa de justesse au moment où il allait filer dehors par la porte de la cuisine. — Popsie! s'exclama Tommy en détachant le timbre collé dans les poils du chien. C'est pas brillant ça, t'as failli avaler Ralph!

Justement, le pauvre Ralph était au bord de l'évanouissement. Trempé jusqu'aux os, secoué, couvert de poils, il n'avait même plus la force d'essayer de crier au secours. Il s'accrocha le plus solidement possible au dos du policier. Il fut soulagé de se retrouver entre les doigts de Tommy.

Nancy aussi fut soulagée d'entendre de nouveau la voix de Tommy au téléphone. — Qu'est-ce qui se passe? demanda-t-elle. — Oh rien, dit

Tommy en riant. Ton frère va bien. Il s'est juste un peu fait lécher... J'espère que j'ai la bonne adresse, ajouta-t-il.

Puis il raccrocha. Nancy s'étonna. «Pourquoi n'aurait-il pas la bonne adresse? Elle était déjà clairement écrite sur l'enveloppe...»

Ralph, lui, avait eu un immense soupir de soulagement en entendant Tommy. Enfin, il allait partir!

Chapitre 6

Le dragon dans le lac et le dragon dans le ciel

Quelques heures plus tard, Ralph se retrouva dans un véritable enfer de machines. Perdu au milieu de milliers d'autres lettres, il s'engagea sur un énorme tapis roulant. Il tournait en rond, zigzaguait, prenait un étroit couloir, puis un autre, se retrouvait serré dans des rouleaux compresseurs, puis ramassé en paquet avec une bonne dizaine d'autres lettres qui allaient, semblait-t-il, vers la même destination que lui. Mais il n'était pas au bout de ses peines. Il fallait encore qu'il passe sous la lourde machine à oblitérer. Il attendait le coup le plus stoïquement possible, mais à sa grande surprise, elle s'abattit juste à côté de lui. C'est ça, Tommy avait dû ajouter un autre timbre pour l'envoyer en Australie! Il se retrouva enfin au fond d'un grand sac à courrier. Il y faisait sombre et chaud. Il fut ramassé, lancé, entassé au fond d'un gros camion qui faisait un affreux vacarme. Puis, ce fut la cale glacée de l'avion qui l'amenait vers l'Australie. Enfin!

Il tenta bien un peu de lier conversation avec les autres personnages des timbres, mais sans succès. Les images ne parlent pas.

Ralph finit par s'endormir.

Lorsqu'il s'éveilla, au bout du monde, dans un autre immense bureau de poste, il fut un peu étonné de découvrir que la dame qui venait de le retirer du gros sac était chinoise. Mais peu importe, Ralph soupira d'aise. Il était rendu à destination. Bientôt, il allait pouvoir reprendre sa taille normale. Et surtout aller vite récupérer l'album de Charles...

Un coup d'œil à la ronde le laissa cependant perplexe. Il n'avait pas imaginé qu'il pouvait y avoir tant de Chinois en Australie! Mais après tout, c'était peut-être normal... Il n'eut pas le temps d'y réfléchir longtemps, parce qu'il se retrouva bientôt dans le sac du facteur...

* * *

Ce fut peut-être une excellente chose que, caché au fond du sac, Ralph ne puisse pas voir les rues qu'il traversait. Il aurait été plus qu'étonné.

Au moment où le facteur le sortit du sac, il fut cependant fort surpris de constater qu'on le livrait dans une maison: — C'est l'Australie, ça? s'exclama Ralph. Je suis censé être dans un magasin de timbres, pas dans une maison!

Il se retrouva sur une petite table de verre, à côté d'un vase qui contenait quelques fleurs de plastique. Les murs de la pièce étaient foncés. Il y vit un joli calendrier avec de drôles de petits dessins et une immense carte du monde. Il entendit le tic-tac d'une horloge. Tout était calme. Aucun son. Il vit deux larges portes vitrées qui donnaient sur une petite cour intérieure. Le temps passait sans que Ralph puisse évaluer si c'étaient des minutes ou des heures. Ralph tomba dans un demi-sommeil.

Soudain, il entendit des pas. Un jeune garçon de son âge s'avançait vers lui en sautillant. Il était mince, avec des yeux en amande et des cheveux très noirs. Il était vêtu d'un pantalon court et d'une chemise grise que Ralph trouva un peu étrange. Le garçon laissa échapper une exclamation de joie en voyant la carte postale sur la petite table de verre.

Ralph sentit son cœur qui battait très fort dans sa poitrine. Le moment était venu, il allait enfin sortir de son timbre. Le garçon prit la carte et murmura quelques mots:

"噢，是南喜。" "噢，這是什麼？"

Aux oreilles de Ralph, ces mots sonnèrent un peu comme: — je... a— mi— mi— qui— da— au et puis, un son qui ressemblait à «Nancy».

Il se dit qu'il devait être très fatigué par son long voyage. D'ailleurs, il n'eut pas le temps de réfléchir plus longtemps, car une vive lumière l'entoura. Le garçon avait vu lui aussi l'étrange lueur sur le timbre et spontanément, il y posa son doigt. Mais il recula aussitôt, repoussé par l'immense force qui soulevait Ralph.

Le garçon poussa un cri et laissa

tomber la carte. Ralph se sentit enlevé par un puissant tourbillon lumineux qui le faisait voler sur un mur, puis au plafond, puis sur un autre mur, comme une balle qui rebondit et sans qu'il puisse faire quoi que ce soit pour maîtriser ses mouvements. Il sentait tout son corps qui se dilatait, s'allongeait, s'élargissait jusqu'à ce qu'il ait atteint sa taille normale.

Lentement, la vive lumière quittait le corps de Ralph, petit à petit, des talons jusqu'au bout des cheveux.

Pendant tout ce temps, accroupi dans un coin de la pièce, le jeune garçon avait suivi l'envolée de Ralph sans proférer un seul son. Il était terrifié. Au moment où Ralph retomba lourdement sur le sol, le garçon s'enfuit de la chambre en hurlant. Il courut dans la cour intérieure où ses parents étaient tranquillement en train d'écosser des haricots.

Ralph entendit un flot de paroles étranges alors qu'il essayait tant bien que mal de reprendre pied sur ses jambes engourdies. Il suivit la direction du jeune garçon et se retrouva dans la petite cour.

Il vit les trois visages chinois qui le regardaient, l'air totalement ahuris.

Ralph sentit aussitôt qu'il fallait vite les rassurer. Ce n'était pas tous les jours, en effet, qu'un invité inattendu entrait dans une maison comme un tourbillon lumineux et se baladait dans les airs comme un gros ballon qui se dégonfle. Il leur fit un beau sourire et expliqua: — Je suis désolé si je vous ai effrayés. Mais vous savez, ce n'est pas facile de sortir d'un timbre, c'est tellement petit...

Les trois Chinois se regardèrent sans dire un mot. Ralph s'avança vers eux en tendant la main. — Je m'appelle Ralph, dit-il.

Toujours pas de réponse. Pas un

geste. Les trois spectateurs restaient aussi muets que des carpes. Ralph se sentait de plus en plus embarrassé.

Puis lentement, avec précaution, le jeune Chinois vint vers lui et le toucha du bout du doigt. Il recula aussitôt et échangea avec ses parents quelques paroles incompréhensibles:

"外面一個小孩，看那邊，他來了！"

Ralph commençait décidément à se sentir très inquiet. L'Australie ressemblait de moins en moins à ce qu'il avait prévu.

Il s'adressa au père du garçon: — Monsieur Pascoe, je suis bien au magasin de timbres de Sydney, n'est-ce pas? Dix, rue Evans, à Sydney, en Australie? — Soke waisida, répondit le père.

Ralph ouvrit de grands yeux, se frotta les oreilles et recommença en épelant presque ses mots: — Je suis en Australie, hein? AUS-TRA-LIE.

Le garçon sembla comprendre, mais il se grattait la tête en ayant l'air de chercher quelque chose. Puis, enfin, il cria un mot que Ralph comprit. — China! dit le garçon, fier de lui. China!

Le visage de Ralph en disait long

sur son état d'esprit. Il était tellement secoué par ce qu'il venait d'entendre qu'il mit bien une minute entière avant de réagir. — China? cria-t-il enfin. Je suis en Chine?

Le garçon fit signe que oui et ses parents confirmèrent eux aussi d'un signe de tête. — Oh non, dit Ralph au bord des larmes. Je suis censé être en Australie, pas en Chine...

Le jeune Chinois s'avança vers lui, le prit par la main et le conduisit devant la grande carte géographique qui était épinglée au mur de sa chambre. — China, répéta-t-il.

Il mit le doigt sur un petit point au bas de la carte. — Hangzou, dit-il, Hangzou. China.

Mais Ralph n'était pas du tout intéressé par la leçon de géographie. — Écoute, dit Ralph au garçon, je dois absolument me rendre en Australie. Il faut que tu m'aides à remonter sur un timbre. — Imetomya hangdro. China. Tongo. Tongo.

"沒事 "
"我帶你去看 "
"聽不懂 "

Ce disant, il se pencha et ramassa la carte qui était tombée sur le seuil de la porte. Ralph reconnut aussitôt le timbre rose. Mais, oh mystère! ce n'était pas du tout l'enveloppe qu'il avait lui-même lancée dans les airs. Il avait voyagé sur une carte postale! Le garçon lui montra l'adresse. Aucun doute. La carte était bel et bien adressée à Hangzou, China.

Désespéré, Ralph se laissa tomber dans un grand fauteuil d'osier. Que faire? Qu'allait-il devenir, maintenant? Tout à coup, il vit le dessus de la carte postale que le garçon tenait dans ses mains. L'image lui rappelait quelque chose. Il prit la carte des mains du garçon et bondit sur ses pieds. La carte était signée: Nancy!

Son visage s'éclaira. Il serra la carte sur son cœur comme s'il venait de retrouver un peu de sa sœur. Il dit très, très lentement et avec force geste en espérant que le garçon comprendrait: — Cette carte vient de ma sœur. Nancy est ma sœur. Tu comprends? Nancy, my sister.

Le garçon l'avait écouté avec attention. Soudain, il pointa Ralph du doigt et cria: — Ralph? Ralph?

En fait, son nom ressemblait plutôt

à «Lalph» dans la bouche du jeune Chinois, mais Ralph fut quand même ravi de l'entendre. Il s'écria: — Oui, oui, je suis Ralph!

Le garçon eut un immense sourire. — English! English! s'exclama-t-il. — Oui, dit Ralph, je parle anglais.

Se montrant du doigt, le garçon dit: — Chen Tow! — Ah, tu t'appelles Chen Tow? dit Ralph en riant. Chen Tow, c'est ça?

Le garçon fit un grand signe que oui. Puis il saisit Ralph par la main, et après quelques mots rapides d'explications à ses parents, il entraîna Ralph à l'extérieur, dans une vaste cour.

Ralph regarda autour de lui. Tout était nouveau, étrange, inhabituel. Une série de maisons, reliées les unes aux autres, formaient un large carré autour de la vaste cour. De magnifiques balcons, ornés de rampes de bois sculpté, étaient tous peints en rouge brique laqué.

Mentalement, Ralph fit la comparaison avec sa propre maison, celles des voisins. Tout était tellement différent. Il ne put s'empêcher d'éprouver une légère inquiétude. Allait-il jamais revoir son foyer? Si seulement son père pouvait le voir, maintenant...

Mais Ralph n'avait pas le temps de s'attarder à ces pensées. Chen marchait vite. Il fallait le suivre. Ils se dirigeaient vers une large porte qui donnait sur la rue.

Juste au moment où il sortait de la cour, Ralph dut s'arrêter. Une vingtaine de petits enfants qui marchaient deux par deux en se tenant par la main lui bloquèrent la route. Ils entraient dans une maternelle. Ralph s'arrêta un instant pour regarder les jolies frimousses aux yeux noirs et aux cheveux plus noirs encore qui, en même temps, l'examinaient lui, d'un air parfaitement ébahi. Ils n'avaient probablement jamais vu un grand garçon avec des yeux aussi bleus et des cheveux aussi blonds. Ralph leur fit un petit signe de la main et rejoignit Chen en courant.

Ils étaient maintenant dans une large rue achalandée. Ralph n'en pouvait croire ni ses yeux ni ses oreilles: des milliers de bicyclettes l'entouraient et un murmure sourd, envahissant, incompréhensible. Tout le monde parlait chinois et tout le monde semblait parler en même temps. Ralph ressentit un léger vertige. Il vit Chen, à quelques pas devant lui, qui lui faisait signe de le suivre. Mais Ralph était presque paralysé. Il s'imaginait un instant, seul, dans cet océan de bicyclettes chinoises... Il courut rejoindre Chen et le prit par la main. – English, English, répétait Chen en ayant l'air de savoir exactement où il allait et pourquoi.

Ils se retrouvèrent bientôt sur la place d'un grand marché, recouvert d'une immense toile orange. Partout autour de lui, de nombreux étalages de fruits et de légumes que Ralph n'arrivait pas à identifier. Il ne voyait, nulle part, les pommes, les bananes, les prunes auxquelles il était habitué. Il regardait partout avec de grands yeux ébahis. Mais il se rendit compte, soudain, que les vendeurs et les clients s'étaient arrêtés eux aussi. Tout le monde le regardait avec le même air étonné. Ce n'étaient pas eux qui étaient étranges mais lui, Ralph, qui était le seul à ne pas avoir les yeux bridés et qui portait un drôle de pantalon court turquoise avec une chemise rayée. Il leva les yeux et aperçut Chen qui s'était arrêté à la terrasse d'un petit restaurant. Il pointait du doigt une large casserole dans laquelle rissolaient de petits beignets en forme de demi-lunes.

* * *

Chen s'était attablé et avait posé devant Ralph une large assiette de beignets chinois. Ralph était ravi. Après ce long voyage, il mourait de faim. Évidemment, il n'y avait que deux baguettes de bois en guise de fourchette. Même si Ralph avait mangé plusieurs fois dans des restaurants chinois, il n'avait jamais utilisé les baguettes. Ici, pas moyen de faire autrement. Il saisit donc les baguettes et tenta d'attraper un beignet au vol. Au vol, en effet! Sitôt qu'il l'eut touché, le beignet sembla prendre vie et dans un grand arc gracieux, alla se déposer de lui-même sur la table voisine. Chen riait tellement fort qu'il faillit s'étouffer. Il montra à Ralph comment tenir les baguettes. Au deuxième essai, Ralph réussit à porter le beignet jusqu'à sa bouche. Il était très fier de son succès et le beignet était délicieux. C'était lui, maintenant, qui riait à s'en tenir les côtes.

En dépit de son angoisse de se

retrouver en Chine, alors qu'il se pensait en route pour l'Australie, Ralph commença à penser que le détour en valait la peine.

Il dit à son ami: — Tu sais, Chen Tow, ça me fait plaisir d'être passé par chez vous. Mais il y a une chose que je ne comprends pas. Comment peux-tu lire les cartes de ma sœur si tu ne comprends pas l'anglais? You dont speak English, do you? — English! English! répéta Chen en riant, la bouche pleine de beignets.

Ralph commençait vraiment à s'amuser. Sans comprendre un mot de leur langue respective, les deux garçons arrivaient quand même à communiquer de façon étonnante. – Oui, English, dit Ralph en prenant une autre bouchée de beignet.

Sans trop s'en rendre compte, Ralph faisait une découverte importante. Comment pouvait-il être devenu si rapidement ami avec un garçon qu'il n'avait jamais vu de sa vie, dans un pays qu'il n'aurait même pas pu imaginer et sans pouvoir échanger deux mots de suite qu'il pût comprendre? «Étonnant», pensa Ralph en regardant le petit Chinois assis devant lui. Mais il n'eut pas le temps de réfléchir plus longtemps, parce que son ami venait de se lever et le prenait par la main. – English, English, répéta-t-il en l'entraînant à sa suite à travers l'océan de bicyclettes. Chen s'arrêta à un coin de rue et poussa Ralph dans le tramway qui venait de s'arrêter. Encore une merveille! Le tramway était fait en deux sections reliées au centre par une plate-forme tournante. Il se déplaçait donc d'une façon sinueuse, un peu comme un long serpent. Ralph courut d'un bout à l'autre du tramway, en s'accrochant à tous les sièges, sous les yeux à la fois étonnés et amusés des passagers.

La route qu'ils suivaient était bordée de superbes arbres qui formaient presque une arche au-dessus d'eux. Ralph était ébloui. Mais il le fut encore davantage lorsqu'il aperçut, à travers les branches, un immense lac entouré de montagnes. Hangzou, avait dit Chen. «Quelle belle ville», pensa Ralph.

Il n'eut pas le temps de s'émerveiller plus longtemps. Le tramway venait de s'arrêter et Chen descendit en tirant Ralph derrière lui. Il se dirigea aussitôt vers une grande maison qui ressemblait à une école. Ralph suivit son ami à l'intérieur. Il emprunta un long corridor et s'arrêta devant une porte. Il entendit aussitôt une étrange mélodie, rythmée, saccadée. Quelque chose comme: «Tall trees, big tall trees», répété et répété par une trentaine de voix. Ralph était perplexe.

Son ami poussa la porte en disant:

— English, English!

Soudain, la lumière se fit dans la tête de Ralph. C'était une classe d'anglais! Voilà pourquoi Chen n'avait pas cessé de répéter «English, English» depuis son arrivée.

Ralph entra dans la classe avec

Chen. Une trentaine d'élèves, à peu près de son âge, étaient assis derrière des pupitres qui ressemblaient beaucoup à ceux de son école.

D'un aimable sourire, le professeur salua les deux visiteurs et fit signe à Chen de s'approcher. En quelques mots, Chen expliqua la raison de sa présence avec Ralph. «Leur jeune visiteur pouvait-il s'adresser à la classe?» demanda-t-il. «Bien sûr», dit le professeur en invitant Ralph d'un geste de la main.

Il faut dire que Ralph était plutôt impressionné de se retrouver seul devant tous ces visages étrangers. Il prit son courage à deux mains et s'adressa en anglais aux jeunes élèves chinois: — My name is Ralph. I come from Canada. — Hello, Ralph, répondit toute la classe d'une seule voix...

* * *

Une fillette d'une douzaine d'années environ leva la main. Ralph la regarda avec intérêt. Elle était très jolie avec ses longs cheveux noirs et sa mignonne robe rouge. — Oui, Mai Ling, dit le professeur. — Allô, Ralph, dit Mai Ling. Je sais que tu parles français et anglais. – Ah oui? dit Ralph un peu surpris. – Oui, parce que c'est moi qui traduis toutes les cartes postales que ta sœur Nancy envoie à Chen Tow. – Ah, je comprends, dit Ralph. – Et comme tu vois, dit Mai Ling, je parle un peu français aussi. Mais j'aimerais bien te demander quelque chose. Dis-moi, pourquoi es-tu en Chine? Parce que tu sais, ici, personne ne savait que tu allais venir.

Ralph se mit à rire. – Oh ça, c'est une longue histoire. Je ne le savais pas moi non plus. C'est à cause d'un garçon qui s'appelle Tommy le farceur, ou encore Tommy Tricker... – Tommy Tricker? répéta toute la classe en éclatant de rire.

Décidément, il n'y avait pas seulement Ralph qui nageait en plein mystère. L'apparition soudaine de ce garçon blond qui venait du Canada amusait et intriguait au moins autant toute la classe de jeunes Chinois. – C'est un drôle de nom pour un garçon, Tommy Ticker, dit Mai Ling.

Ralph s'esclaffa: – Non, pas «Ticker», «Tricker», parce qu'il joue toujours des tours à tout le monde.

Ce disant, Ralph fit claquer ses

doigts près de sa joue, avec un drôle de petit bruit sec, exactement comme le faisait Tommy. Il en fut tout étonné. C'était la première fois qu'il réussissait. «C'est peut-être magique, ça aussi», pensa Ralph.

La classe fut interrompue en l'honneur du visiteur canadien. Le professeur donna congé à tous les élèves.

Ralph sortit de l'école avec Mai Ling et Chen Tow. Il mit à peine dix minutes pour raconter toute son histoire à Mai Ling et la convaincre qu'elle devait l'aider à partir pour l'Australie le plus rapidement possible, même si, déjà, il s'était attaché à ses nouveaux amis chinois et qu'il aurait de la peine à les quitter.

Mais d'abord, Ralph voulait écrire à Nancy pour la rassurer. Elle était sûrement en train de se faire du mauvais sang. Peut-être croyait-elle que Ralph avait subi le même sort que Charles?...

Mai Ling lui trouva une carte postale et Ralph écrivit:

«Chère Nancy, j'ai retrouvé ma taille normale, mais je suis en Chine au lieu d'être en Australie. J'ai rencontré Chen Tow et il est très gentil. J'ai aussi rencontré Mai Ling qui traduit toutes les cartes postales que tu envoies à Chen Tow. Ne t'en fais pas, je devrais reprendre un timbre demain et arriver bientôt en Australie. P.S. Savais-tu qu'en Chine ils ne connaissent pas le pâté chinois? Ralph.»

Mai Ling amena Ralph à la plus vieille boîte aux lettres de Hangzou et mit elle-même la carte postale à la poste. — Bon, ça va maintenant. Ta sœur ne s'en fera plus pour toi, dit-elle. — Merci, Mai Ling. Tu es une véritable amie.

Mais ce que Mai Ling n'avait pas dit, c'était la raison pour laquelle elle avait choisi cet endroit. C'était la boîte aux lettres idéale pour poster Ralph en Australie. Elle avait même adressé une grande enveloppe et apposé le timbre parfait sur lequel Ralph pourrait voyager. Un superbe oiseau blanc que Ralph pouvait monter en se tenant à son cou. Elle sortit l'enveloppe de sa poche: — Et ceci, dit-elle, c'est la lettre sur laquelle tu vas partir. Est-ce que tu es prêt?

Il faut dire que Ralph fut un peu interloqué par la rapidité d'exécution de Mai Ling. Ralph regarda autour de lui avec effroi et secoua la tête: — Oh non, pas ici! Il y a trop de pieds. Tu aurais dû voir ce qui m'est arrivé au Canada. J'ai failli être piétiné par un homme-orchestre, puis on m'a jeté dans une poubelle et j'ai été arrosé d'huile de sardine. Ç'a été horrible.

Ralph avait un peu raison. Mai Ling avait choisi un coin de rue qui bourdonnait de monde. Mais ça n'avait pas l'air de l'énerver le moins du monde. — Ne t'en fais pas, dit-elle. Les Chinois possèdent une très, très bonne vue et tu devrais te faire ramasser très vite.

Ralph n'était pas du tout convaincu. D'autant plus qu'il venait d'apercevoir, à quelques mètres de lui, un petit groupe de jeunes hommes qui examinaient des albums de timbres. Il s'écria: — Et si c'est un collectionneur qui me trouve? — Non, non, le rassura Mai Ling d'une voix ferme.

Mais Ralph insista: — Regarde! Ce sont des collectionneurs là-bas. Tu vois les timbres collés dans leurs albums? C'est en plein ce qui m'attend s'ils me trouvent.

Mai Ling fronça les sourcils: — Est-ce que tu manquerais de courage, Ralph?

Ralph rougit légèrement et protesta. Mais courage ou non, il n'avait aucune envie de se retrouver sous ces milliers de pieds, à deux mètres des collectionneurs.

Il vit Chen Tow qui murmurait quelque chose à l'oreille de Mai Ling.

— Qu'est-ce qu'il dit? demanda Raph.

— Il dit qu'il a une très bonne idée, dit Mai Ling. Il croit que peut-être le dragon du lac pourrait te transporter.

— Un dragon? demanda Ralph, atterré. — Oui, un dragon. Mais peut-être que tu as peur des dragons aussi, dit Mai Ling avec un petit sourire.

Décidément, aussi sympathiques qu'ils fussent, ses amis chinois n'étaient pas très rassurants! Il s'apprêtait à protester, lorsqu'il vit Chen qui changeait soudainement de visage. D'une main, il tirait sa bouche vers le bas et de l'autre, il élargissait ses yeux vers le haut en montrant deux grands trous blancs. Ses bras volaient maintenant de chaque côté de son corps comme des épouvantails. Il s'était transformé en dragon. Ralph ne put s'empêcher d'éclater de rire. — Bon, dit-il, allons-y pour les dragons. C'est encore mieux que les collectionneurs.

Chen entraînait déjà Ralph par la main à travers la rue grouillante de monde.

* * *

Mai Ling lui fit un grand geste de la main en signe d'encouragement. — Ne t'en fais pas, Ralph, dit-elle. Si ça ne fonctionne pas, on trouvera autre chose demain.

Il sourit et suivit Chen dans une étroite allée au bout de laquelle il aperçut une forêt de bambou. À travers les longues tiges, il discerna les formes bizarres de toitures qui ressemblaient à des coques de bateaux. Les tuiles étaient d'un magnifique vert jade.

Au fur et à mesure qu'ils descendaient vers le fond de la vallée, les garçons percevaient une douce musique. Un genre de musique que Ralph n'avait jamais entendu de sa vie. Il étira le cou pour voir d'où provenaient ces sons étranges. Il repéra bientôt un petit pavillon, à demi caché dans le feuillage où un petit orchestre jouait pour le simple plaisir de jouer. Ils étaient seuls, aucun spectateur. Trois hommes, vêtus d'une façon qui lui parut bien fantaisiste, frappaient d'un petit marteau les cordes d'un instrument qui ressemblait un peu à une harpe posée à l'horizontale. Avec eux, une jolie jeune fille au visage parfaitement impassible jouait pour sa part d'un instrument qui s'apparentait vaguement à une guitare. Emerveillé, Ralph s'arrêta pour la regarder. Elle aperçut l'étrange garçon blond au milieu des arbres. Mais Chen ne s'était pas arrêté et Ralph lui emboîta le pas à regret. La jeune fille le suivit des yeux et son léger sourire semblait être un souhait de bonne chance destiné au garçon blond. Chen s'était arrêté devant un étang, tout juste à l'entrée d'une caverne. En haut, comme sculptée dans le rocher, dominait une immense tête de dragon. Chen la pointa du doigt. — That's the dragon? demanda Ralph.

Chen fit signe que non et reprit sa route.

Le soleil descendait lentement à l'horizon lorsque les garçons atteignirent le lac. Ralph nota aussitôt les bateaux de plaisance accostés au quai. Ce qui attira le plus son attention fut l'avant et l'arrière des bateaux, en forme de dragons. «Ah, voilà les dragons dont Chen parlait», pensa Ralph. — C'est ça? demanda-t-il en montrant les bateaux.

Encore une fois, Chen fit signe que non. Il entraîna Ralph sur le quai et sauta sur le pont arrière d'un bateau. Ralph nota aussitôt l'air féroce du dragon qui ornait le nez du bateau pointé vers le large. — Is that the dragon who's going to help me? demanda Ralph.

Mais de nouveau Chen secoua la tête. En guise d'explication, il se contenta de frapper du poing le bord du bateau. Ralph était de plus en plus perplexe, et il faut bien le dire, de plus en plus inquiet aussi. Il observait son ami qui lui montrait du doigt une petite embarcation qui semblait flotter seule, sans guide, au gré du vent. Il remarqua, à l'arrière du bateau, une petite cabine entourée d'épais rideaux. Chen fit un geste et le petit bateau vint vers eux comme s'il était conduit par une main invisible. Chen prit Ralph par la main et sauta sur le bateau. Sans qu'il eut proféré un mot, le bateau partit vers le large.

Le soleil était maintenant complètement disparu. La nuit était noire. Seule une vive lumière brillait derrière les mystérieux rideaux. Ralph sentait une vague angoisse qui lui mordillait le cœur. Il ne savait pas que les dragons attendent toujours la nuit pour répondre aux appels des humains. Il vit Chen qui rampait à plat ventre sur la longue planche étroite qui s'étirait au-dessus de l'eau noire à l'avant du bateau. Sa tête dépassait maintenant la planche et Ralph pouvait presque voir le visage de son ami qui se réfléchissait dans l'eau. Il entendit Chen qui murmurait quelque chose. Il semblait parler au lac... ou parlait-il au dragon?

Un long frisson parcourut Ralph de la tête au pied. Il regarda autour de lui. De toute évidence, ils étaient seuls tous les deux sur le lac. Il cria: — Chen, qu'est-ce que tu fais? Reviens, tu vas te noyer! Come back, Chen!

Mais Chen continuait à murmurer des paroles incompréhensibles. — Reviens, Chen, cria encore Ralph, de plus en plus paniqué.

Mais son ami ne répondit pas plus que la première fois. Ralph ne savait plus quoi faire, il fallait absolument qu'il aille chercher de l'aide. Sans quitter Chen des yeux, il recula lentement jusqu'à la petite cabine entourée de rideaux. Seul le conducteur du bateau pouvait l'aider à persuader Chen de cesser son petit jeu dangereux. Il poussa le rideau et vit le grand volant de bois qui tournait lentement, tout seul. Il n'y avait pas de conducteur sur le bateau! Au même moment, il entendit un craquement sec et un grand jaillissement d'eau. Il se retourna brusquement. Chen avait disparu!

Figé d'horreur, Ralph appela d'une voix à peine audible. — Chen, où es-tu, Chen?

Petit à petit, Ralph prenait conscience de la situation. Seul! Il était seul sur ce mystérieux bateau au milieu de cet immense lac noir, où son seul ami dans ce pays inconnu venait de disparaître. Il vivait un cauchemar. Une incroyable panique s'empara de lui. Il se mit à courir d'un côté à l'autre du bateau en hurlant: — Chen, je t'en supplie, réponds-moi!

Soudain, il crut apercevoir un bras qui s'agitait dans l'eau. — Tu es là, Chen? cria-t-il avec espoir.

Mais plus rien. Pas un son, pas un mouvement. Puis encore, cette fois de l'autre côté du bateau. Ralph était au désespoir. Il sentait bien qu'il devait faire quelque chose pour son ami. Mais quoi? Le lac était si noir et paraissait si profond. Peut-être le dragon avait-il emporté Chen? Il frissonna de peur, de honte, de colère devant sa propre peur. Puis il n'y tint plus. Il mit un pied sur le bord du bateau et cria: — Tiens bon, Chen, j'arrive!

Ralph plongea. L'eau froide le revigora. Il nagea rapidement dans la direction où il avait cru apercevoir un bras. Hélas, rien. Pas même le plus petit indice de la présence de son ami, nulle part. Il cria encore: — Chen, où es-tu? Réponds-moi!

Soudain, il y eut un bruit et un léger remous près du bateau. Ralph leva la tête et vit bouger l'embarcation. Une petite tête noire émergeait de l'eau, un corps se hissait dans le bateau. Ralph entendit un grand éclat de rire. Chen! Un immense soulagement l'envahit. Il sentit en lui une force nouvelle. Il nagea vers le bateau. Ralph n'avait jamais nagé si vite. Chen l'aida à grimper à bord.

Ralph était soulagé, en effet, mais quelque peu furieux aussi. Son ami lui avait-il tendu un piège? Le fameux dragon existait-il? Hélas, il ne pouvait espérer de réponse de son ami chinois. Il s'enroula dans la couverture que lui tendait Chen et imita son ami qui venait de s'étendre au fond de la barque. Les deux garçons s'endormirent.

* * *

Le lendemain, à l'aube, Mai Ling était déjà sur le rivage. Comme s'il avait répondu à son appel, le petit bateau quitta le milieu du lac et vint lentement accoster près de Mai Ling. Elle sauta dans l'embarcation. Les deux garçons dormaient toujours. Elle secoua doucement Ralph: – Réveille-toi, Ralph! Réveille-toi. Tu as passé le test.

Ralph ouvrit les yeux. Il eut la sensation de sortir d'un très profond sommeil, peuplé de songes. Il mit quelques instants à se raccrocher à la réalité. Il entendit de nouveau Mai Ling qui disait: – Ralph, tu as passé le test. – Quel test? demanda-t-il. – Le test du courage, Ralph. Je suis fière de toi. Maintenant le dragon est prêt pour le voyage. Il faut nous dépêcher. Viens!

«Encore le dragon?» pensa Ralph, à moitié endormi. Alors, bien réveillé cette fois, il se rendit compte que son ami avait élaboré toute cette mise en scène dans le seul et unique but de l'aider à retrouver le courage de retourner sur le timbre! Il ne savait plus s'il devait être furieux ou reconnaissant. — Ouais, un autre dragon, dit-il en regardant Mai Ling d'un air moqueur. — Je t'assure, dit Mai Ling. Cette fois, il y a vraiment un dragon.

«Dragon ou pas», se dit Ralph en suivant ses amis, «je suis sûr que Tommy n'aurait pas eu le courage de faire ce que j'ai fait». Il en ressentit une grande satisfaction.

Ils traversaient maintenant un immense parc, rempli de fleurs et de verdure. Ralph fut totalement fasciné de voir le nombre de personnes, de tous les âges, qui, déjà à cette heure matinale, étaient en train de faire de l'exercice. Et quel exercice! Les mouvements étaient lents, rythmés, gracieux, comme si chacun exécutait une danse étrange au son d'une musique intérieure que personne d'autre que lui ne pouvait entendre. — C'est le Tai Chi, expliqua Mai Ling, qui avait vu le regard étonné de Ralph. — Ce sont des mouvements dérivés d'un art martial chinois, ou l'art de la guerre, si tu préfères.

Mais un autre spectacle venait

d'attirer l'attention de Ralph. Un groupe de fillettes, toutes vêtues de rouge et blanc, lui sembla beaucoup plus guerrier. En effet, chaque fillette tenait à la main une longue épée qu'elle faisait tournoyer, virevolter et qui fendait l'air avec une vitesse et une précision remarquable. «Étrange pays», pensa Ralph, «où ce sont les vieux messieurs qui font la danse et les fillettes qui manient l'épée.»

Mai Ling ne lui laissa pas le temps de réfléchir à ces bizarres contradictions. — Viens, Ralph, le dragon t'attend.

Ils arrivèrent bientôt dans un immense square que de magnifiques rosiers, disposés ici et là en rectangles uniformes, égayaient de toutes les couleurs. Ralph avait à peine eut le temps d'admirer les roses lorsqu'il aperçut le dragon: un superbe dragon cerf-volant long de trente mètres, que déroulaient petit à petit une centaine de jeunes Chinois.

Ralph n'avait jamais rien vu d'aussi fascinant. L'immense gueule du dragon s'ouvrait sur deux rangées de dents pointues. Ses yeux exorbités roulaient sur eux-mêmes à toute vitesse, comme deux boules de billard.

Mais le plus drôle était la longue barbiche rose qui lui pendait au bout du menton.

Ralph était émerveillé, mais vraiment, il ne voyait pas très bien comment ce spectaculaire dragon pouvait l'aider à partir pour l'Australie. Il vit l'enveloppe que Mai Ling tenait dans sa main. Elle exliqua: — Voici ta lettre, Ralph. Nous allons l'attacher à la barbe du dragon.

Sur le timbre, Ralph vit un autre dragon, identique à celui que les enfants élevaient maintenant à bout de bras au-dessus de leurs têtes. — Tu vois cette corde? dit Mai Ling en montrant la longue ficelle attachée à la lettre. Le dragon va s'élever dans les airs en emportant ta lettre dans sa barbe. Puis, juste au bon moment, nous allons tirer sur la corde et ta lettre tombera dans la boîte aux lettres. C'est simple, non?

Ralph ne put s'empêcher de rire. Décidément, ses amis chinois avaient de drôles d'idées. Pourtant, un tout petit problème intriguait Ralph. Il dit: — Oui, Mai Ling, c'est une idée géniale, mais je ne vois pas de boîte aux lettres ici... — Oh, ne t'inquiète pas, Ralph. Il va en passer une.

Ralph ouvrit de grands yeux: — Quoi? Il va passer une boîte aux lettres?

Mai Ling ignora sa question. — Prépare-toi, Ralph, le moment est venu.

Pour Ralph, le moment était venu, en effet, de dire adieu à ses merveilleux amis chinois. Son cœur se gonflait dans sa poitrine. Il tendit la main à Mai Ling. Il n'arrivait pas à prononcer une parole. Puis il se retourna vers Chen Tow. Mais avant qu'il ait pu poser le moindre geste, il entendit Chen qui disait: — I wish you a bon voyage! — Tu parles français!

s'écria Ralph en riant. — Français? répéta Chen, l'air totalement éberlué.

Mai Ling éclata de rire. C'est elle qui avait enseigné la phrase à Chen qui, lui, n'avait aucune idée dans quelle langue il parlait.

Ralph rit lui aussi. — Vite, Ralph, dit Mai Ling. Le dragon est prêt à s'envoler. Il faut que tu montes sur le timbre.

Une pointe d'inquiétude envahit Ralph. Ses amis connaissaient-ils bien les règles? Allaient-ils pouvoir prononcer les mots de la formule magique correctement? Un murmure se faisait déjà entendre. Ses amis chinois chantaient la formule magique:

"風箏在哪里，風箏
在哪里，風箏在那
高高的天空里，看
見白的雲，看見藍
的天，還有我們大
家的友誼。"

Fixée à la barbe du dragon, la lettre se balançait doucement à un mètre du sol. Lentement, la grosse tête descendait. Ralph recula jusqu'au jardin de roses derrière lui, pour bien prendre son élan.

Il se mit en position et cria à Mai Ling: — Ça y est, je suis prêt.

La barbe du dragon tremblota dans la brise matinale et descendit petit à petit jusqu'à ce que l'enveloppe touche le sol.

Ralph s'élança. Il se sentit devenir léger comme une plume. Il s'élevait dans les airs. Encore une fois, Ralph se mit à tournoyer, virevolter, à danser dans le vide comme un ballon qui se dégonfle. Il sentit son corps qui changeait, qui se transformait, diminuait, atteignait la taille minuscule d'une pointe d'allumette. Il atterrit enfin sur le timbre, en plein sur la tête du dragon.

«Un atterrissage parfait», aurait déclaré Albert. Il entendit des centaines de voix qui criaient: «Adieu, Ralph».

Ralph n'eut pas le temps de songer à répondre. L'immense dragon cerf-volant s'élevait dans les airs et il se sentit emporté par la barbe rose.

Il faut dire que Ralph n'avait jamais été friand des hauteurs. Il eut l'impression que son estomac traînait à quelques mètres derrière lui. Il cria:
— Laissez-moi descendre!

Mais il était un peu tard pour y penser et d'ailleurs, il oubliait que personne ne pouvait l'entendre. Il regarda sous lui et vit la cime des arbres, puis le lac qui rapetissait lui aussi. Il eut à peine le temps d'apercevoir un point minuscule qui partait à la course vers la grande avenue bondée de milliers de bicyclettes. Mai Ling cherchait la boîte aux lettres...

Justement, elle venait vers elle. Une jolie postière, à bicyclette elle aussi, apportait au bureau de poste le gros sac de courrier qu'elle avait placé dans le panier avant.

Mai Ling se plaça en plein dans son chemin. Puis elle se tourna vers Chen qui était resté posté sous la barbe du dragon, corde en main. Elle cria:

"到哪去啊？"

"到學校。"

C'était le signal convenu. Chen Tow tira sur la corde d'un mouvement sec. La lettre se détacha de la barbe du dragon. Ralph se sentit emporté par le vent. Il fit une pirouette, la tête la première, et aperçut avec horreur la terre qui se rapprochait de lui. Allait-il s'écraser sur le sol dur? Ou dans les buissons de rosiers qui, malgré leur beauté, devaient bien avoir quelques épines? Ralph eut un haut-le-cœur. Où était donc la boîte aux lettres que Mai Ling avait promise?

Mai Ling avait tout prévu. Elle venait de saisir à deux mains le panier où se trouvait le gros sac de courrier. Surprise, la postière protesta:

“是這個小孩啊 ?”

“是不是這個小孩啊?”

Mai Ling ne perdit pas une seconde en explications inutiles. En dépit des protestations, Mai Ling manipulait le panier de la bicyclette en regardant vers le ciel. Elle avançait, poussait, tirait le panier de la bicyclette vers la gauche, vers la droite, jusqu'à ce que la lettre arrive enfin à destination.

Mai Ling avait si bien manœuvré que Ralph tomba en plein dans le gros sac de courrier, devant les yeux ébahis de la postière. Mai Ling sourit, lui fit une gracieuse révérence, puis après un dernier salut au petit Ralph qui la regardait de son timbre-dragon, elle se perdit dans la foule et rejoignit Chen Tow.

中国人民邮政
8分
T.115.(4-2)
1987

Chapitre 7

L'Australie, enfin!

Peut-être que Ralph avait déjà pris l'habitude de voyager dans un sac à courrier à bord d'un avion, parce qu'il s'endormit presque aussitôt et ne s'éveilla qu'au moment où l'avion atterrit à Sydney. Bien sûr, il n'avait rien vu du tout au moment de l'atterrissage, car tout le monde sait qu'il n'y a pas de fenêtre dans un sac à courrier. Et c'était bien dommage pour Ralph, parce que la vue était superbe. S'il avait été assis près d'un hublot, il aurait pu admirer le splendide port de Sydney avec sa myriade de voiliers blancs, comme des petits cumulus dans un ciel bleu. Il aurait pu voir aussi les gros traversiers qui font la navette d'un côté à l'autre de la baie.

Même si Ralph ne pouvait rien voir, du moins il pouvait entendre. La première chose qui le frappa fut l'étrange accent des Australiens, qui ne ressemblait pas du tout à celui des Anglais du Canada. Il eut même un peu de difficulté à reconnaître certains mots qui, pourtant, avaient bien l'air d'être en anglais. Mais, ouf, quel soulagement! Au moins, il était sûr d'être en Australie.

Après avoir de nouveau traversé l'épreuve des machines, des tapis roulants, des rouleaux compresseurs qui le secouèrent au moins autant qu'en Chine, il fut enfin placé dans le sac du postier. Ou était-ce une postière? C'est bien ce qu'il crut voir lorsqu'elle le retira du sac et le déposa dans une boîte aux lettres près d'une muraille de pierres qui entourait une maison.

Les pas s'éloignèrent, et il conclut que c'était vraiment une postière lorsqu'il l'entendit parler à la voisine.
— Not much news today, Mrs Brown. But Cheryl got another letter for her dead grandfather. This one was from China. — Quoi! quelqu'un est arrivé avant moi? se dit Ralph.

Il n'eut pas à patienter trop longtemps, car aussitôt, une belle jeune fille rousse le prit et entra dans une jolie cour intérieure remplie de plantes fleuries. Il crut discerner qu'elle n'avait pas l'air trop contente de recevoir la lettre. Elle l'ouvrit brusquement. À peine une seconde plus tard, elle la lança sur le sol comme si l'enveloppe lui brûlait les mains.

Un petit jet lumineux s'était échappé du timbre et elle poussa un cri lorsque Ralph quitta sa tête de dragon. Cette fois, sa transformation se fit plus en douceur. En quelques instants, il avait repris sa taille normale et se retrouva assis entre deux énormes plantes à fleurs qui ornaient un coin de la cour.

La première chose qu'il vit fut l'éclair argenté d'une lame de couteau que la fille rousse tenait dans sa main. Elle hurla en anglais d'une voix menaçante: — I told you yesterday, keep away. Keep away!

Ralph comprit aussitôt qu'il n'était pas du tout le bienvenu. Mais il comprenait beaucoup moins pourquoi elle affirmait lui avoir déjà dit la même chose la veille!

Il fit aussitôt un geste rassurant et

le plus beau sourire qu'il put en disant : — Ne t'inquiète pas, je ne te veux pas de mal.

En fait, Ralph aurait probablement été beaucoup plus énervé par le couteau s'il n'avait pas eu un autre besoin beaucoup plus pressant. Ça n'a l'air de rien, mais c'est un long voyage de la Chine à l'Australie. Il demanda un peu timidement: — Est-ce que je peux aller aux toilettes? — What? Quoi? demanda Cheryl.

C'était bien la dernière chose qu'elle s'attendait à entendre de son étrange visiteur. — Quoi? répéta-t-elle. — Les toilettes s'il te plaît. — Oh! dit Cheryl, oui, c'est par là. Mais c'est tout, ajouta-t-elle, de nouveau menaçante, après tu t'en vas.

Ralph courut plié en deux vers la porte indiquée, ce qui donna le temps à la jeune fille de se rendre compte qu'il n'avait pas du tout l'air dangereux. En fait, elle l'accueillit avec un petit sourire lorsqu'il la rejoignit sur la véranda. Elle lui avait même préparé un petit goûter: un grand verre de lait et un morceau de pâté à la viande tout juteux. — Une spécialité australienne, expliqua-t-elle.

Elle le laissa avaler quelques bouchées, puis s'excusa de son accueil pour le moins étonnant. — Tu comprends, tu es le deuxième en deux jours. Hier, un autre garçon est arrivé sur un timbre, exactement comme toi. Il m'a presque donné une crise cardiaque! Je pensais que c'était lui qui revenait.

Ralph était stupéfié. — Il voyageait comme moi sur un timbre? — Oui, et il a dit qu'il s'appelait Charles Merriweather.

Ralph s'étouffa avec une gorgée de lait. — Tu es sûr qu'il a dit Charles Merriweather? — Absolument, affirma la jeune fille. Il avait les cheveux tout collés sur la tête et il portait des vêtements anciens. Il avait l'air très, très bizarre. — Qu'est-ce qu'il voulait? demanda Ralph de moins en moins rassuré. — Oh, il a dit qu'il venait chercher un vieil album de timbres qu'il avait confié à mon grand-père, il y a très, très longtemps.

Ralph n'osa pas lui dire qu'il venait pour la même raison. Il s'aperçut qu'il ne s'était pas encore présenté. — Je m'appelle Ralph, dit-il en tendant la main. — Et moi, c'est Cheryl, dit-elle en souriant.

* * *

Décidément, la situation était plus compliquée que Ralph ne l'aurait cru. Charles l'avait devancé d'une journée. Il osait à peine proférer la question suivante. – Et alors? finit-il par demander. Tu lui a remis l'album? – Non, parce qu'à la mort de mon grand-père, c'est oncle Mike qui a hérité de toutes ses choses. – Alors, demanda Ralph avec un grain d'espoir, tu crois que ton oncle Mike lui a donné l'album?

Cheryl fit une spectaculaire grimace. – J'en doute, dit-elle. Oncle Mike vit à la campagne et il ne donne jamais rien à personne. De toute façon, il est totalement cinglé. On l'appelle Mad Mike.

Ralph était de plus en plus inquiet de la tournure des événements. Il frémit lorsque Cheryl ajouta: – Ce Charles m'a demandé de l'amener chez Mad Mike, mais j'ai refusé. Oncle Mike est dangereux.

Ralph se mit à réfléchir. Il fallait absolument qu'il trouve un moyen de convaincre Cheryl de le conduire jusqu'à cet oncle bizarre. C'était sa seule planche de salut. Il se fit suppliant. –

Et moi, Cheryl, tu veux bien me montrer où habite ton oncle? Tu comprends, c'est très, très important pour moi. J'ai presque fait le tour du monde pour arriver jusqu'ici...

Cheryl fronça les sourcils. Qu'est-ce qu'ils ont tous à vouloir aller chez Mad Mike?

Elle regardait Ralph en silence. Elle hésitait, réfléchissait. – S'il te plaît, Cheryl, insista Ralph.

Elle soupira, puis finit par dire: – Bon, d'accord, mais c'est dangereux. Allez, viens vite, dépêche-toi.

Ralph se retint pour ne pas sauter de joie, malgré l'appréhension bien légitime qu'il ressentait à l'idée de visiter Mad Mike et surtout de rencontrer le mystérieux Charles Merriweather.

Il suivit Cheryl vers le port où ils attrapèrent le traversier qui était justement sur le point de partir. Ralph profita de la traversée pour raconter toute son étrange histoire à Cheryl. Évidemment, sa curiosité fut piquée. Elle voulait tout savoir, les voyages sur les timbres, la Chine, tout! Il faut dire que Ralph ne se fit pas trop prier. D'ailleurs, Cheryl était très jolie et, ma foi, elle était devenue beaucoup plus gentille qu'à son arrivée. Mais Ralph n'arrivait pas à oublier sa propre inquiétude. Après tout, c'est lui qui allait rencontrer Mad Mike. Il demanda: — Cheryl, pourquoi ton oncle est devenu fou? — Oh, c'est un peu compliqué. Je ne sais pas trop bien, mais on m'a raconté qu'il avait toujours rêvé de posséder un zoo. Peut-être un vieux désir d'enfance... Peu à peu, il a commencé à ramasser des animaux. Il les choisissait avec beaucoup de soin. Ils étaient magnifiques. Puis, un jour, il les a tous retrouvés empoisonnés. Personne n'a jamais su ni par qui ni comment. Depuis ce jour, il est devenu très bizarre et tout le monde l'appelle Mad Mike.

* * *

Le traversier avait déposé Ralph et Cheryl sur l'autre rive. Ils se retrouvèrent, après vingt minutes de marche, dans un épais boisé qui ne ressemblait pas du tout aux forêts canadiennes. Le feuillage des arbres avait une couleur plus grisâtre, mais les fleurs sauvages avaient, par contre, des couleurs éclatantes. Ralph entendit aussitôt un son régulier qui ressemblait aux tintements d'une clochette. – Qu'est-ce que c'est? demanda-t-il. – C'est un oiseau, dit Cheryl. On l'appelle le Bell Bird. – Un oiseau cloche? dit Ralph en riant. Ce serait bien si on l'avait à l'école, il pourrait sonner la rentrée en classe! – Ouais, dit Cheryl, ce serait une bonne idée.

Ils étaient maintenant arrivés à une croisée de chemins.

Ralph remarqua aussitôt la présence insolite d'une vieille boîte aux lettres rouge vif. «Drôle d'endroit pour une boîte aux lettres», pensa-t-il. Mais il est vrai que Ralph était devenu un grand spécialiste des boîtes aux lettres et maintenant, il les remarquait toutes.

Il nota aussi qu'une barrière bloquait l'entrée d'un sentier sablonneux qui montait dans la colline. Un grand écriteau bien en vue était fixé à la barrière: «NO TRESPASSING», lut Ralph.

Cheryl s'arrêta. – Moi, je ne vais pas plus loin, dit-elle.

Ralph lui lança un regard moqueur. – Eh ben! Moi qui croyais que les filles d'Australie étaient braves!

Cheryl leva les yeux au ciel. Décidément, les garçons ne comprenaient jamais rien. — Braves, dit-elle, mais pas stupides... Je te l'ai dit, il est cinglé. Il peut même être dangereux.

Juste à ce moment, et comme pour lui donner raison, ils entendirent des cris furieux dans la forêt. Sans demander son reste, Ralph suivit Cheryl, qui s'était précipitée dans le fossé au bord de la route.

Dissimulés derrière les hautes herbes du fossé, ils virent alors un jeune garçon qui dévalait la colline. Il portait de drôles de vêtements, d'allure très ancienne: un pantalon marron, serré aux genoux, et une veste de velours avec un col de dentelle blanche. Ses cheveux étaient lisses et collés sur sa tête. Il avait dans ses mains un petit colis bien ficelé qu'il tenait serré contre lui. Il courait comme si le diable était à ses trousses. Les cris furieux résonnaient toujours derrière lui.

Ralph et Cheryl aperçurent bientôt une tache rouge à travers les arbres. La tache rouge semblait bondir comme un éclair d'un rocher à l'autre. À droite du sentier, une autre forme, vêtue de gris celle-là, criait en courant: — Cut him off, Dave!

Le garçon avait maintenant atteint

la barrière. Cheryl cria: — Eh, c'est Charles Merriweather!

Oubliant le danger, Ralph bondit sur ses pieds et allongea le cou. La vue du garçon faillit l'étrangler. Il s'écria: — Non, ce n'est pas Charles! C'est Tommy le farceur! J'en crois pas mes yeux.

Le garçon s'était arrêté devant la boîte aux lettres rouge. Il recula de dix pas en jetant des regards nerveux derrière lui et laissa tomber quelque chose sur le sol. — Pas possible! cria Ralph. Tommy essaie de monter sur un timbre!

Ralph avait parfaitement raison. C'était bien Tommy, et c'était précisément ce qu'il essayait de faire.

Tommy commença aussitôt à réciter la formule magique en sautant désespérément sur le sol: — Un, deux, trois... Je suis prêt à y aller. Je suis prêt à rapetisser. Je suis prêt à voyager sur un timbre...

Puis il s'impatienta et cria: — ... j'ai pas le temps de finir la formule. Vite, timbre, vite!

Bien sûr, la taille de Tommy ne bougea pas d'un pouce, et d'ailleurs, il était déjà trop tard. L'homme en gris avait bondi sur le sentier et saisi

Tommy par un bras. — Got you! Ha! You thought you could fool me in your little Lord Fauntleroy outfit, did you?

Tommy hurlait à fendre l'âme: — Non, j'essayais pas de vous voler. Lâchez-moi! Lâchez-moi! Vous me faites mal!

Ralph eut à peine le temps de voir un éclair rouge qui bondissait à son tour sur la route. Un homme noir, vêtu d'une chemise rouge vif et dont le sourire éclatant montrait de belles dents blanches, venait d'empoigner l'autre bras de Tommy.

Cheryl s'était précipitée au fond du fossé à l'approche du danger, mais malgré sa peur, Ralph n'avait pu s'empêcher d'observer la scène à travers les hautes herbes. Seuls ses yeux bleus et une touffe de cheveux blonds dépassaient.

Non seulement il entendit Tommy hurler, mais il vit les deux hommes qui le soulevaient de terre et le traînaient entre eux comme une vieille poupée de chiffon. Il nota que Tommy avait échappé le colis qu'il portait.

Soudain, son cœur s'arrêta de battre dans sa poitrine. Le colis! Ça ne pouvait être que l'album de Charles Merriweather... Oh, si seulement il pouvait le récupérer maintenant. Quelle chance! Il n'aurait même pas à rencontrer Mad Mike. Mais hélas, comme s'il avait pu lire ses pensées, l'homme noir se retourna et vit le colis. Il abandonna aussitôt Tommy aux mains de l'autre et revint sur ses pas pour le ramasser.

Déçu, Ralph soupira. Il ne vit pas que l'homme noir avait jeté un regard dans leur direction, et qu'un petit sourire amusé s'était dessiné sur ses lèvres.

Aussitôt que les hommes eurent disparu avec Tommy, le silence retomba sur la forêt. Seul l'oiseau cloche fit entendre de nouveau son ding dong. – Wow! Heavy, s'exclama Ralph. C'est vrai que ton oncle a l'air un peu fou!

Cheryl sortit lentement du fossé en détachant les brindilles accrochées à ses vêtements. Elle regarda Ralph, l'œil en coin: – Bon, t'es satisfait? T'as vu? Et maintenant, qu'est-ce que tu comptes faire?

Ralph n'hésita pas une seconde: – Même si c'est Tommy, on dirait bien que je vais être obligé d'aller le libérer.

C'était sorti de sa bouche si vite que Ralph fut le premier surpris de sa réponse. Décidément, le danger lui faisait de moins en moins peur. Cheryl le regarda, un peu étonnée: – Oui, bien alors, ne compte pas sur moi, Ralph.

Sitôt dit, sitôt fait, Cheryl avait tourné le dos à Ralph et prenait résolument le chemin du retour. Ralph cria: – Eh, Cheryl, où est-ce que tu vas? Tu ne peux pas partir comme ça!

Cheryl s'arrêta, hésita un instant, puis se retourna vers Ralph. Elle le regarda un moment, puis haussa les épaules avec résignation. Elle revint lentement vers lui. Ralph eut un large sourire. – Je sais qu'il habite près d'ici, mais je ne sais pas exactement où est sa maison, dit-elle, l'air boudeur.

Elle avait déjà précédé Ralph dans la forêt. Ils entendirent bientôt des cris animés, alors qu'ils débouchaient sur une clairière. Ralph sursauta lorsqu'une grosse balle orange vint choir à ses pieds. Il ramassa la balle juste au moment où un garçon arrivait pour la récupérer. — C'est à toi? demanda Ralph sans rendre la balle.

Le garçon fit signe que oui. À quelques mètres, Ralph aperçut un groupe de jeunes qui s'impatientaient. — Tu l'as, Cree? cria l'un d'eux.

Ralph gardait toujours la balle. — Salut, dit-il au garçon. Est-ce que tu parles français? — Oui, un peu. — Est-ce que, par hasard, tu connais Mad Mike? — Oui, évidemment, dit le garçon. Everybody knows him, he is dangerous.

Ralph le regarda droit dans les yeux. — Oui, tout le monde dit ça... Tu pourrais m'amener chez lui?

Le garçon hésita un instant, mais devant l'assurance de Ralph, il n'osa pas refuser. — Peut-être, dit-il, mais après la partie de cricket, si tu me rends ma balle.

Ralph lui lança la balle et le suivit vers le terrain de jeu avec Cheryl. Ralph n'avait jamais joué au cricket. Non seulement il regarda la partie avec intérêt, mais il fut même invité à participer. Ce qu'il fit, avec un certain succès. Mais il était pressé de partir et fut soulagé lorsque Cree revint vers lui. – Bon, allons-y, dit-il, en le précédant vers la forêt.

Moitié par curiosité, moitié par crainte d'être traitée de peureuse, Cheryl suivit les garçons. Ils aperçurent bientôt une petite maison cachée au milieu de grands eucalyptus. Ralph ne put s'empêcher de noter combien les longues feuilles pointues des arbres étaient odorantes. Il ne pensait pas qu'un arbre pouvait sentir aussi bon. Il ne savait pas non plus que c'est en Australie que les premiers eucalyptus du monde avaient poussé.

Il nota surtout que tout était silencieux autour de la maison. Aucune trace de Mad Mike. Il vit la cour entourée d'une haute clôture. Puis, il entendit un bruit. Comme le son d'une pierre qui frappait sur du métal. «Encore un oiseau bizarre», pensa-t-il.

Il grimpa lentement la petite colline qui menait vers la maison. Il remarqua bientôt un arbre dont les immenses branches étaient parfaites comme poste d'observation. Il grimpa agilement à quelques mètres du sol. Il avait eu raison, ce qu'il découvrit lui coupa le souffle...

* * *

Tommy était prisonnier dans un enclos de kangourous! Un gros anneau de fer lui encerclait une cheville et le retenait attaché par une

chaîne à un poteau de métal. Assis sur le sol, il frappait désespérément l'anneau avec une pierre pour tenter de le briser. Sans succès, bien sûr.

Ralph allait essayer d'attirer son attention lorsqu'il aperçut Mad Mike. Il arrivait à la porte de l'enclos en tenant le colis dans ses mains. Il était vêtu d'une vieille veste grise froissée et d'un chapeau biscornu. Il portait de petites lunettes rondes qui n'avaient pas l'air de lui servir à grand-chose puisqu'il regardait toujours par-dessus. «Pas comme Albert», pensa Ralph.

Il défit le cadenas de la grille et entra dans l'enclos. Il repoussa de la main les kangourous qui lui barraient la route. Il marcha lentement vers Tommy. Celui-ci laissa tomber sa pierre dès qu'il l'aperçut. Il fut surpris de constater que Mad Mike souriait. Il fut encore plus surpris de voir qu'il lui présentait le colis: — It's yours? demanda Mad Mike.

Tommy lui fit le plus beau de ses sourires en tendant la main vers le colis: — Oui, c'est à moi.

Aussitôt, le sourire de Mad Mike s'évanouit. Il retira le colis d'un geste brusque. — You're a liar. You stole it from my daddy's things. — Non, protesta Tommy. Je ne suis pas un menteur. Je n'ai pas volé le colis, votre père le gardait pour moi. Je suis Charles Merriweather.

Mad Mike plissa ses petits yeux derrière ses lunettes. – You are not Charles Merriweather. You are a liar... You see these kangaroos? They are all liars too. Now you're going to stay here with them till you tell the truth.

Il recula en ricanant: – You are a liar...

Tommy soupira en regardant la pierre à ses pieds. Jamais il n'arriverait à sortir de là. Il cria: – Eh, Monsieur, donnez-moi au moins de quoi manger. J'ai faim.

Mad Mike ne tourna même pas la tête.

Ralph avait observé la scène du haut de son arbre. Il ne put s'empêcher d'avoir pitié de Tommy. Il joignit les mains et fit claquer ses doigts avec un petit bruit sec, à la manière de Tommy. Surpris, le prisonnier tourna les yeux vers la forêt. Ralph répéta le claquement.

Tommy se leva aussitôt. Qui d'autre aurait pu, ici en Australie, faire claquer ses doigts de cette façon? – C'est toi, Ralph? demanda-t-il.

Nouvau claquement en signe de réponse. Exultant, Tommy répondit au signal.

Ralph sauta de son perchoir et à quatre pattes, d'un arbre à l'autre, il s'approcha de l'enclos où Tommy était prisonnier. Toujours caché, il tira de son sac à dos quelque chose qu'il lança dans la cage aux kangourous. Un petit gâteau Jos Louis, les favoris de Tommy. — Wow! cria Tommy en apercevant le gâteau qui venait de tomber à quelque distance. Il s'avança pour le ramasser, mais la chaîne qui lui retenait la jambe bloqua sa marche. Il s'étendit de tout son long sur le sol, étira le bras. Hélas, Ralph avait raté son tir. Le gâteau était trop loin.

Incapable de se résigner, Tommy tentait d'étirer encore le bras, à plat ventre dans le sable poussiéreux. Soudain, miracle! La chaîne derrière lui sembla s'allonger. À son insu, Dave, le compagnon aborigène de Mad Mike, était entré dans la cage. De ses longs bras puissants, il avait sorti du sol le gros tuyau de métal auquel la chaîne de Tommy était attachée. Tommy attrapa le gâteau.

Dès qu'il s'assit sur le sol pour déballer le précieux cadeau de Ralph,

il aperçut Dave et comprit ce qui venait de se passer. Mais il n'eut pas le temps de remercier l'homme noir qui, déjà, s'était appuyé contre un arbre et avait porté le gros tuyau à ses lèvres. Tommy entendit un son grave, poignant, fascinant, lancinant. Dave produisait des sons avec le tuyau comme s'il avait joué du tuba.

Tommy s'était appuyé sur la clôture et dégustait son gâteau. L'odeur sucrée avait attiré quelques kangourous plus audacieux qui l'entourèrent aussitôt. Malgré sa faim, Tommy partagea avec eux quelques bouchées du précieux gâteau. Il regarda Dave qui soufflait toujours dans son tuyau. La bouche encore à moitié pleine, il demanda: — Eh, Dave, tu ne pourrais pas m'enlever cette chaîne-là?

Dave se contenta d'esquisser un sourire éclatant. Il jeta un regard vers la forêt et dit doucement: — Why dont you tell your friends to come here instead of sneaking around like thieves?

Puis, sans attendre la réponse de Tommy, il bondit sur ses pieds, sauta sans effort par-dessus la haute clôture et disparut dans la forêt.

Cachés à des endroits différents, Ralph, Cheryl et Cree, le joueur de cricket, virent Dave en même temps. Mais aucun des trois n'eut le temps de réagir. Dave bondissait comme une gazelle d'un endroit à l'autre et apparaissait comme un éclair sous leurs yeux ébahis. Il sortait de derrière un arbre à gauche, montrait la tête du dessus d'une grosse roche à droite, était devant eux, derrière eux, à la seconde où ils s'y attendaient le moins. «Hi», disait-il en riant, puis il disparaissait.

Pétrifié, Ralph tournait la tête à gauche, à droite, en arrière, en avant. Il ne savait plus quelle direction prendre pour s'échapper. Il s'arrêta à bout de souffle au pied d'un arbre. Juste à ce moment, il sentit deux bras puissants qui l'attrapaient. — What are you scared of? demanda Dave d'une voix douce et chantante.

Ralph se calma aussitôt. — Je n'ai peur de rien, dit-il.

Dave le posa sur le sol...

* * *

Ralph, Cheryl et Cree avaient docilement suivi l'homme noir. La nuit était rapidement tombée sur la forêt. Une belle nuit calme, éclairée par la lueur d'un feu de camp et de millions d'étoiles.

Les flammes bleues, jaunes et rouges scintillaient dans la nuit. Assis près du feu, Mad Mike contemplait le brasier en silence pendant que Dave alimentait le feu en chantant doucement une magnifique complainte de son peuple. À l'orée du bois, les enfants regardaient le spectacle de loin, n'osant pas encore s'approcher.

Ils entendirent Mad Mike qui parlait, sans s'adresser à personne en particulier, comme à lui-même. — It was a night just like that, disait-il, when they came and poisoned my animals... Why?

Même Cheryl fut émue par le chagrin qui transparaissait dans la voix du vieux Mad Mike.

Soudain, le chant se tut. Dave leva les yeux vers la forêt et dit d'une voix très douce: — Mike, we've got company.

C'était le signal que Ralph attendait. Il s'avança vers le feu, suivi des trois autres.

Il dit: — Hi, Mad Mike, nous avons un cadeau pour vous. Something for your zoo... un beau koala pour votre zoo.

Arraché de sa rêverie, Mike leva les yeux vers Ralph qui s'avançait vers lui en tenant dans ses bras un magnifique bébé koala. À moitié endormi, bien au chaud dans les bras de Ralph, la douce petite bête avait l'air d'un gros ourson de peluche.

Ralph le tendit à Mike. Le vieil homme n'hésita pas un instant. Il prit le bébé koala dans ses bras et le serra contre lui. Il y eut un long moment de silence, brisé seulement par la voix de Dave qui avait doucement repris son chant.

Puis Mike leva la tête vers Ralph. Il plissa les yeux derrière ses petites lunettes rondes et demanda: — Why are you giving me this? — C'est un cadeau que je vous offre, dit Ralph, en échange de votre prisonnier et de l'album. Et j'ai même une autre surprise pour vous, ajouta-t-il. J'ai amené votre nièce, Cheryl.

Mike tourna la tête vers la jeune fille. Il sourit. — Je suis la fille de Tom, dit Cheryl. — My brother Tom's daughter, s'exclama Mike. Come here by the fire.

Mais Cheryl n'osait pas. — Non, non merci, dit-elle. Je suis très bien ici.

Mad Mike n'insista pas. Il se tourna vers Dave et lui fit un signe de la main. Prestement, Dave se leva et disparut dans la forêt, sans bruit, sans même faire craquer la moindre brindille, comme une ombre, habitué à se fondre dans les mille autres ombres sous les arbres.

Seul le craquement du bois qui brûlait meubla le silence de la nuit pendant un long moment. Puis, deux formes sortirent du bois. Tommy suivait docilement Dave, qui revint s'asseoir près du feu. Tommy vint rapidement rejoindre Ralph. Il murmura: — Merci bien, Ralph.

Les yeux de Mad Mike s'étaient durcis. Il fixait Tommy. D'une voix sombre, il dit: — Eh you, come here!

Tommy feignit la surprise. — Moi? demanda-t-il. — Yes, you, the liar, dit Mad Mike.

Tommy hésita quelques secondes, puis s'approcha lentement du feu. Mike lui tendit le colis que Dave venait de lui remettre. — Whom does this belong to?

Un long moment de silence. Comme à regret, Tommy finit par répondre à mi-voix: — À Ralph. — Are you going to tell lies again? demanda

Mike sévèrement.

Mais il ne laissa pas le temps à Tommy de répondre. Il ajouta: — Look into the fire before you answer.

Pris par surprise, Tommy obéit au vieux Mike. Il fixa longuement les petites flammes qui dansaient, sautillaient d'une brindille à l'autre, s'élançaient vers le ciel et créaient des centaines d'images qui se faisaient et se défaisaient dans la nuit. Impressionnés, ils regardaient tous Tommy qui observait le feu en silence. L'espace d'un instant, Ralph croisa le beau et profond regard de Dave. Même si son visage était sérieux, ses yeux très noirs semblaient sourire. Ralph sentit vaguement que l'histoire millénaire du peuple de Dave se reflétait un peu dans son regard. Il revint à Tommy qui, enfin, murmura:
— Non, je ne mentirai plus.

Il prit l'album des mains de Mad Mike et le tendit à Ralph. — Tiens, prends ton album. On peut s'en aller maintenant.

Dave et Mad Mike demeurèrent assis près du feu pendant que les enfants reprenaient le chemin du retour en silence. Le chant fascinant de Dave avait repris et les suivit dans leur marche pendant un long moment encore.

Cheryl s'était éloignée la dernière. Elle n'avait pu s'empêcher d'observer quelques instant cet oncle qu'on appelait Mad Mike. Puis, elle avait souri et lui avait fait un petit signe de la main. Mad Mike lui avait rendu son sourire...

Encore une fois, comme en Chine, Ralph devait dire adieu à ses nouveaux amis australiens. Encore une fois, il eut un vague pincement au cœur. Ce n'est jamais facile de quitter des amis, surtout si on a vécu avec eux d'étranges et belles aventures. Mais il était temps de rentrer chez lui et il fallait remonter sur un timbre. Ralph n'était pas très inquiet, il commençait à avoir l'expérience. Et d'ailleurs, cette fois, le voyage lui paraîtrait sûrement moins long, Tommy était avec lui.

Tout le monde se mit vite d'accord. Quoi de mieux pour quitter l'Australie que de voyager sur un timbre avec un kangourou? Et qui de mieux pour poster la lettre qu'un autre kangourou? C'est exactement ce qu'ils décidèrent et tout se passa le mieux du monde...

AUSTRALIA
36c
RED
KANGAROO

Chapitre 8

Le retour au bon vieux Canada

Exactement dix jours après le départ de Ralph, Nancy sauta de joie en trouvant dans le courrier la lettre qu'elle attendait depuis si longtemps. Elle vit aussitôt que le petit kangourou n'était pas seul sur le timbre. Elle courut dans la maison en criant : — Papa! Maman! Ralph est revenu!

Ses parents, qui venaient tranquillement de s'attabler pour prendre une bouchée, regardèrent Nancy un peu éberlués. Ils savaient qu'elle aimait bien son frère, évidemment, mais son enthousiasme débordant leur semblait un peu dépasser la mesure.

Avant que son père ait eu le temps d'avaler sa bouchée de salade, elle ajouta: — Il est là, sur le timbre, derrière le kangourou!

Il faillit s'étouffer. Nancy déposa l'enveloppe sur la table. Les yeux de Pierre et Jeanne se dirigèrent aussitôt sur le timbre, comme malgré eux. Jeanne plissa le front: — Qu'est-ce que Ralph fait sur un timbre? demanda-t-elle d'une voix blanche.

Raisonnable, Pierre la corrigea: — Mais non, ma chérie, ce n'est pas Ralph. C'est un dessin de Ralph. Tu vois bien que c'est une blague. Ralph est allé en excursion avec son oncle. C'est d'ailleurs aujourd'hui qu'il doit revenir! — Oh non, ce n'est pas une blague, dit Nancy en reprenant l'enveloppe. Regardez bien. Vous allez voir ce que vous allez voir. Quelque chose d'extraordinaire est sur le point de se produire... Du moins, je l'espère, ajouta-t-elle tout bas.

Elle déchira avec précaution le bout de l'enveloppe opposé au timbre. Aussitôt, elle sentit un engourdissement au bout de ses doigts. Une lumière jaillit et deux minuscules petits bonshommes s'élevèrent dans les airs comme des ballons en train de se dégonfler.

Pierre ouvrit sa bouche encore

pleine de salade. Ses yeux montèrent en même temps que sa tête vers le plafond. Sa chaise bascula lentement en arrière. Jeanne se contenta de crier: — Pierre!

Ralph et Tommy s'amusaient comme des petits fous. Ils se baladaient dans les airs comme des parachutistes en chute libre. Ils culbutaient, tournoyaient, virevoltaient, si bien que leurs sacs à dos s'ouvrirent et une pluie de souvenirs tomba pêle-mêle sur la table. Un chapeau, un ourson, un boomerang et... un mystérieux colis.

Peut-être que la force magique du timbre avait pressenti qu'il s'agissait de son dernier voyage. Toujours est-il qu'elle n'en finissait plus de balader les garçons. Elle alla même jusqu'à les projeter dehors par la fenêtre ouverte. Inquiète, Nancy cria: — Ralph, Tommy, descendez!

La force magique l'entendit probablement, car Nancy et ses parents eurent à peine le temps d'accourir pour voir les deux garçons qui venaient d'atterrir, ou plutôt d'amerrir, au beau milieu de la piscine.

Une fois l'émotion des retrouvailles un peu calmée, Pierre décida qu'il fallait ouvrir le mystérieux colis en présence du vieil expert, Monsieur Bronson. Ils attendirent donc son arrivée avec impatience.

Mais Pierre n'était pas au bout de ses surprises. Monsieur Bronson était à peine installé dans le grand fauteuil qu'il tendit une enveloppe à Pierre. — Je pense que j'ai un petit quelque chose qui vous appartient, dit-il.

Pierre ouvrit l'enveloppe. Il s'exclama: — Mon timbre! Mon «Homme sur le mât»! Où est-ce que vous l'avez trouvé?

Monsieur Bronson se contenta d'esquisser un sourire en coin et de hausser les épaules. Pierre n'eut pas le loisir d'insister, parce qu'un drôle de son arriva jusqu'à ses oreilles.

Il se retourna et aperçut les enfants qui descendaient lentement l'escalier en psalmodiant un drôle de refrain: — Les - timbres - de - Charles - arrivent, arrivent. Les - timbres - de - Charles - arrivent...

Ralph ouvrait la procession en tenant cérémonieusement l'album ouvert dans une main et une bougie dans l'autre. Nancy, Tommy et même Albert, qu'on avait aussitôt prévenu, le suivaient en portant eux aussi une bougie allumée. – C'est Ralph? chuchota Monsieur Bronson. – Mais oui, c'est Ralph, en effet, dit son père, tout fier de son fils. – C'est drôle, il a l'air bien différent du garçon que j'ai entrevu l'autre jour...

D'un geste assuré, Ralph avait levé la main. Le chant s'arrêta aussitôt. Nancy déplia lentement la lettre qu'ils avaient trouvée dans le nouvel album et se mit à lire: – «Cher lecteur, vous avez mes trésors. Et bien sûr, je suis triste parce que ça prouve que je n'ai pas pu les reprendre moi-même. Je me demande ce qui m'est arrivé. Par contre, au moins, je sais qu'ils sont appréciés et entre bonnes mains. Charles Merriweather, le 16 février 1930.»

Ralph s'avança vers son père. – J'ai l'immense plaisir de remettre à mon père ce fameux album.

Pour faire plaisir à son fils, Pierre entra dans le jeu. Il prit l'album avec un sourire amusé, sachant bien que les trésors, après tout, ça n'existe pas... Mais, au tout premier coup d'œil sur la toute première page, son beau sourire se figea. Ses yeux s'agrandirent. Il en perdit même la voix. Il mit bien trois secondes à recouvrer la parole. — Oh non, laisse-moi voir ça!

Il tournait les pages de plus en plus ahuri. — Henry, dit-il à Monsieur Bronson, regardez un peu! Je n'en crois pas mes yeux... Des «Victoria» à douze pennies... La série du «Jubilée» de 1897. Incroyable! — Extraordinaire, renchérit Albert, qui avait bien ajusté ses lunettes et regardait avidement les fabuleux timbres pardessus l'épaule de Monsieur Bronson.

Ralph rayonnait de joie. Enfin, il avait rempli sa mission. — Qu'est-ce que tu en dis, papa? Est-ce que c'est encore mieux qu'un «Bluenose»? — À qui le dis-tu, Ralph! exulta Pierre en riant.

Albert, qui jusque-là avait à peu près réussi à garder le silence, n'y tint plus. Il prit son ton le plus pontifiant pour déclarer: — Je pense que je puis affirmer aussi au nom de ton père, Ralph, que tu as réussi là une prouesse admirable.

Nancy fit une superbe grimace et leva les yeux au ciel si haut qu'ils en devinrent presque blancs. Ralph se contenta de rougir.

Tommy le poussa du coude. Il chuchota: — J'espère que tu vas te souvenir que c'est à cause de moi que tu as appris à voyager sur les timbres, hein, Ralph?

Une vague inquiétude rembrunit le visage de Ralph. Heureusement, Monsieur Bronson vint interrompre ses pensées. — Vous savez, vous deux, vous êtes très chanceux d'être revenus ici en vie, car, parfois, le voyageur demeure prisonnier du timbre. — Ah oui? murmura Tommy, sceptique.

Monsieur Bronson avait sorti un album de timbres de sa serviette. Il le déposa sur la table et l'ouvrit en pointant un timbre du doigt. — J'en ai la preuve ici même, dit-il. Vous allez comprendre. Regardez ce «Bluenose». Vous voyez le petit garçon debout à la proue? — Incroyable! cria Albert. — Qui est-il? demandait tout le monde à la fois. — Je l'appelle «Le garçon à la proue», dit Monsieur Bronson. Mais si vous regardez attentivement la serviette qu'il porte, vous allez peut-être déchiffrer son nom.

Le vieil expert avait sorti une puissante loupe de sa poche. Ralph se pencha aussitôt sur le verre grossissant. Il commença à lire les lettres, une après l'autre. — C. H. A. R. L. E. S.

Nancy poussa un cri. — C'est Charles! Et il est prisonnier de votre timbre depuis toutes ces années! — Depuis 1930, dit Monsieur Bronson. J'en ai bien peur. — Pauvre Charles! s'exclama Nancy, consternée. Pourquoi vous ne l'avez pas laissé partir? — Parce que je ne savais aucunement qui il était, ni où il allait. Et maintenant, c'est trop tard.

Ralph s'était mis à sauter sur place en criant: — Mais non, il n'est pas trop tard! Tout ce que nous avons à faire, c'est de nous l'adresser à nous-mêmes et Charles pourra sortir du timbre.

Jeanne fronça les sourcils. – Et vous êtes-vous demandé où Charles irait habiter si vous le ramenez à la vie? – Avec nous, bien sûr, maman! s'écria Nancy. – Dites, Monsieur Bronson, ça peut se faire n'est-ce pas? dit Ralph en suppliant le vieux monsieur. – Ce n'est pas si simple, dit Pierre, l'air songeur. Tout a tellement changé, Charles ne s'y retrouvera plus. Il ne connaît personne... – Réfléchissons un peu, dit sagement Monsieur Bronson. – Oui, prenons d'abord le temps de penser, approuva Jeanne en servant un café fumant au vieux monsieur. – Il pourrait rester avec nous et coucher dans la chambre de Ralph, insista Nancy. – Oui! absolument! dit Ralph.

Soudain, Albert eut une idée de génie: – Je suis enfant unique. Il pourrait rester chez moi.

Nancy ne voulait rien entendre. Après tout, c'est Ralph qui avait eu le courage de faire le tour du monde sur des timbres pour récupérer l'album de Charles, pas Albert! – Il y a suffi-

samment de place dans la chambre de Ralph pour un autre lit, déclara-t-elle.
— Dis oui, papa! supplia Ralph.

Tout à coup, une étrange intuition fit tourner la tête d'Albert. Il venait de remarquer que Tommy avait disparu.
— Où est passé Tommy? demanda-t-il en regardant partout autour de lui.

L'inquiétude commençait à se peindre sur le visage de Ralph, lorsqu'Albert s'écria, en pointant l'album de Monsieur Bronson: — Le «Bluenose» a disparu! Tommy a volé le «Bluenose» avec le garçon à la proue.

Il s'élança aussitôt dans le jardin en criant: — Tommy, Tommy, reviens!

Tout le monde avait suivi Albert. Ils virent Tommy qui fuyait, déjà rendu au bout de la rue. Ils partirent tous à la course derrière lui, Ralph en tête.
— Tommy, Tommy!

Soudain, Cass sortit d'un buisson, les cheveux pleins de broussailles et l'air ahuri. Dieu sait depuis combien de temps il attendait Tommy dans sa cachette... — Qu'est-ce qui se passe? demanda-t-il à Ralph qui passait en trombe sous son nez. — C'est Tommy, cria Ralph sans s'arrêter. Il a eu une rechute! — Une rechute? dit Cass en se grattant l'oreille gauche.

C'est quoi ça, une rechute?

Mais il ne restait personne pour le renseigner.

Ralph, Nancy, Albert, Pierre, Jeanne et même le vieux Monsieur Bronson couraient derrière Tommy.

Soudain, ils entendirent un bruit de sabots derrière eux. Un policier monté sur un cheval rose, et tout droit sorti du timbre, apparut sur la route. — Je crois que j'arrive à point, dit-il en tirant sur les rênes de son cheval rose. Puis il partit au galop derrière les coureurs...

Personne ne réussit à rattraper Tommy ce jour-là. Il avait bel et bien disparu. Ce fut seulement deux jours plus tard, lorsque le facteur remit à Monsieur Bronson une drôle d'enveloppe qui lui était adressée et qui portait un timbre bien connu... que tout le monde comprit. Tommy avait posté Charles à Monsieur Bronson!

Et c'était très bien ainsi. Parce que ces deux-là, au moment où ces lignes sont écrites, vivent toujours ensemble et s'entendent à merveille. C'est bien normal, quand on y pense, parce que Charles n'a plus onze ans, mais... soixante et onze ans!

Quiconque passe devant leur

fenêtre ouverte le soir peut encore les entendre se raconter de fabuleuses histoires sur le monde merveilleux des timbres...

FIN